未知に挑む力はこうして育つ

小学校と大学で

今泉 博
住吉廣行

子どもの未来社

プロローグ

授業には学ぶ面白さと楽しさが欠かせません。授業は未知への挑戦です。面白いから楽しいから興味が湧くのです。集中は《させるもの》ではなく、《生まれるもの》です。子どもたちが目を輝かせ学び出す。指名しなくても自ら発言するようになる。発言しない子も、安心して学習に参加できる。そんな授業はどうしたら創れるのか？　それを解き明かすのが本書Ⅰ部の目的です。

これから述べる五つの課題に挑みさえすれば、そのような授業を実際に創ることが可能です。子どもの姿から学ぼうとする姿勢がある教師であれば、できないことはありません。教室での子どもの姿、そこで生まれる授業の事実を基に、エッセンスを抽出しながら、授業のあり方をまとめてみたものが本書Ⅰ部です。

教師にとって教室は、文字通りほんとうの意味で、教育の《大学院》です。「教師が学ぶべきこと」、「考えるべきこと」、「研究すべき課題」等が、子どもたちのいる教室の中には、無尽蔵に存在しています。そこに着目していけば、困難な教育現場の中でも、創造的な実践を生み出していくことができます。

本書は、大きな書店の教育書コーナーに沢山積んであるようなハウツーものをめざしたのではありません。そうかと言って教育学の難しそうな理論で、授業を創っていこうというものでもありません。

子どもも教師も楽しく深く学べて、明日が待ち遠しくなる授業は、どうしたら創ることができるかをめざして執筆したものです。Ⅰ部で取り上げる課題は次の五つです。
●一点目は、間違いを心配せず、安心してなんでも言える人間的な自由のある教室を、いかに創るかということです。
●二点目は、「教えたいことは教えない」、みんなの知恵で物事の本質や学習の課題にたどり着く、プロセスのある授業をめざすことです。
●三点目は、想像・推理・対話・討論で、未知に迫る楽しさを子どもたちが存分に実感できるようにすることです。
●四点目は、この世界に無尽蔵にある素材から、子どもたちがわくわくして学べる教材を、どう発掘・選択していくかということです。
●五点目は、基礎的・基本的なことを、単なる練習・習熟・暗記の対象にするのではなく、深く豊かな学びにしていくことです。

高等教育に長年にわたって携わってこられた住吉さんは、拙著や、どうすれば豊かで深い学びが可能になるかという今回のこの五つの提案に深く関心を持たれたのでした。お会いして教育について議論するときには、「初等教育が高等教育と、課題においても、その解決方法においても、想像以上に類似している」とよく話されました。そんなこともあり、住吉さんから共著のお誘いがあったときには、すぐに引き受けさせていただきました。

初等教育と高等教育は大きくかけ離れていると捉えがちです。ところが教育の本質的なところでは、共通する面がかなりあるのです。この点が明らかになれば、今後の教育のあり方を検討していく上で、重要な意味があるように思われます。II部では、高等教育における課題と深い学びの取り組み、また、その理論化などについて、住吉さんが執筆されています。I部とII部は関連性を持ちつつも独立しているので、興味をお持ちのほうから読むことができます。

本書を読んでいただければ、授業のイメージも湧き、日々の授業が楽しみな時間になっていくことでしょう。

現場の教職員の皆さん、とくに授業について悩んでいる若い教師の皆さん、研究者・大学関係者の皆さん、教育に関心を持っておられる保護者の皆さん、将来教師をめざそうとしている学生の皆さん、ぜひ手にとって読んでいただけたら幸いです。

今泉　博

小学校と大学で
未知に挑む力はこうして育つ　◎目次

Ⅰ部

子ども教師も待ち遠しくなる授業

―練習・習熟中心の勉強から、発見と喜びのある学びへ―

今泉 博

1章 「間違い」にどう対応するかで学びは驚くほど変わる

1 「間違い」を活かすクラスの風景

高校生の授業参観は初めて

「荒れ」て「いじめ」や「暴力」が深刻な6年生を担任したときのことです。自分がいつ「いじめ」や「暴力」を受けるか心配しなければならなかっただけに、子どもたちは落ち着かなかったのです。人間関係を常に気にしながら学校で生活しなければならなかったからです。授業中、勝手にトイレに行ったり、わざと机を叩いて音を出したり、「奇声」をあげたりする。おしゃべりで授業が成立しないことも度々ありました。

そんなクラスも、2カ月程の取り組みで、「いじめ」「暴力」もなくなり、静かに学習できるようになったのです。常にザワザワしていたクラスが、まともに学習する学級に変わったのです。6月の上旬の頃になると子どもたちからは、「『いじめ』『暴力』がなくなってよかった」「授業中、鳥のさえずりが聞こえるほど静かに勉強できるようになってうれしい」という声が寄せられるようになったのです。子どもたちも、ひとりひとりの発言を聴きながら、じっくり学習できるようになってきました。子どもたちは夕食の折などに、学校での授業のことを、よく話すようになったのでしょう。そんなこともあり、都立高校に通っているHくんのお姉さんから、「弟が授業が面白い」とよく話しているので、ぜひ授業を参観させていただけませんかという連絡があったのです。学生や教師や研究者はよく来られましたが、高校生の授業参観は初めてのことでした。国語の授業をしていたときに、Hくんのお姉さんが学校に見え、参観していきました。

間違いに対しての対応に驚きと感動

しばらくして、とても丁寧な手紙(1)が届きました。

「学校の行き帰り自転車に乗っていると、風が冷たく、いよいよ寒い季節になったと感じます。先日は、授業を見学させていただきありがとうございました。本当はもっと早くにお礼を申し上げようと思ったのですが、中間テストがあって、遅くなってしまいました。あの日はたくさんのことを感じたので書きたいと思います。

私が授業を見学して一番印象に残ったのは、『間違い』に対しての今泉先生の対応の仕方でした。『破れる』という字を『こわれる』と読んだことに、『破壊』とすかさず黒板に書いて、『この言葉からもわかるように「破」には「こわれる」という意味も含まれる。文の内容からもこの字を「こわれる」と読んだあなたはすごい。』とおっしゃいました。このやりとりを見て、うまく表現できないのですが、驚きと感動が同時におきたという気持ちになりました。私の今まで経験した授業での『間違い』はすごく恥ずかしいことで、それについて周りの人がどう思うかなどまで気にしていた時期もありました。今でも授業中にあてられると、声が小さくなって、顔が赤くなってしまいます。だけど、先生の授業での『間違い』は、自分のためになると思いました。あのように評価してもらったら、間違えることを、いやなことだと思わなくなるだろうし、自信をもって発言できるようになるだろうと思いました。そして先生がおっしゃっていたように、手をあげない限りあてないということで、ますます安心して授業がうけられるし、それは同時に自分の意見や考えを余裕をもってまとめることができるのだと思いました。また、自分の意見が他人に認められることは、とても大切なことだと思いました。先生は発言した子一人一人に一言ずつコメントをしていらっしゃいましたよね。私がコメントを受ける立場だったら、とてもうれしいと思います。自分を認めてくれる人がいる、自分の小さながんばりも評価してくれる人がいる。人間にとって本当に心強く思えることだと思います。それはきっと自分の意見をしっかりもち、また他人のことも認めることができるようになることにつながるのではないでしょうか。三十周年の記念誌を見せてもらった時に、六年生のページで、「みんなと仲良くなれてうれしい。」という感想がありました。私はこれを見て、六年一組にはお互いに認め合えるという環境ができてきたのだなと感じました。（後略）」

Hくんのお姉さんは、自分の体験と照らし合わせ、間違い・失敗が保障されることは、どんなに大切かを、子どもたちの姿から実感されたのです。

2 問われる「間違い観」

恥をかかないためには《沈黙すること》だ

教師であれば、一方的に教えてしまう授業や説明的な授業を、おそらくいいと思って続けている訳ではないのです。できたらみんなで意見を出し合い、発見し学び合えるような授業を創りたいと考えています。ところがそれがなかなかできないから、説明的な授業になってしまっているというのが実態ではないかと思われます。その証拠に、「どうしたら対話や討論で深める授業が可能になるのか」、そんな質問が学習会などで度々出されます。

しかも自分がこれまで受けてきた授業が、説明的なものがほとんどであれば、どのように対話や討論のある授業を創っていったらよいのか、なかなかイメージできないのです。このことが対話や討論のある授業、発見的な授業の創造を困難にしている要因のひとつになっています。

昔から教師の間で強調されてきたように、授業では子どもたちにとって、意味のあるすぐれた教材を取り入れているかどうかが問われます。教材自体が子どもの興味・関心からかけ離れたものであれば、授業はうまくいきません。それじゃ、教材がよければ授業はうまくいくのかと言えば、必ずしもそうではないのです。なんでも言える人間的な自由がなければ、子どもたちが生き生き参加し、楽しく深く学び合える授業は困難です。

子どもたちが発言を躊躇するようになるのは、ひと言で表せば、間違うことが恐いからです。間違って恥をかかないために、子どもたちは沈黙するのです。急に教師から当てられそうになると、教師とできるだけ目を合わせないようにします。そんな体験をされた読者の皆さんも少なくないのではないでしょうか。

間違いは学びの世界をきり拓く

このような状況になってしまうと、教師がどんなに教材研究をして授業に臨んでも、不発に終わり後味の悪いものになってしまいます。教師だけでなく、子どもたちも「学んだ」という満ち足りた気持ちにはならないのです。そんな状況を克服していくには、教師の「間違い観[2]」について、あらためて検討してみることが必要になります。

間違いや失敗は学習にとって無意味なものだから、できるだけしないようにするという考え方なのか。それとも間違い失敗はとてつもなく学びの世界をきり拓くきっかけになり得るだけに、学習にとって欠かせないほど重要であるという考え方なのか。どちらの立場かで、授業は大きく変わっていきます。

なんでも言える自由を教室に生み出すには、教師がまず「正答主義」を克服しなくてはなりません。教師が子どもたちに期待している答えを言ってくれたときだけは、うれしそうな表情をする。間違った答えを言ったときには、嫌な顔をしたり、事実上無視するような扱いをしてしまう。そのような対応をしていては、子どもたちは当然のことながら発言しようとはしなくなります。間違った発言であっても、すぐれた面・いい面が含まれているものです。それを積極的にコメントし続けることが大事になります。

間違いが学習を深め、物事の本質にたどり着く上で、重要であることを子どもたちが体験できるようにしていくことです。間違いを恐れなくなった子たちは、自分の思いを率直に出せるようになります。するとちがいも表面化し、ときには対立・討論も生まれます。授業は直線的には進まず、ジグザグなコースをたどることになるのです。授業がプロセスのあるものに変わっていくことで、学習はグーンと深まります。友だちの意見と絡まり合うことによって、学力も豊かなものとなっていきます。

日常のささいな間違いについて教師がどう対応するかが、子どもの「間違い観」形成につながっていきます。いずれにしても「間違い観」が、なんでも言える自由な雰囲気をつくる上で重要な意味をもっているのです。豊かな授業の創造と「間違い観」の問題は、密接に関わっています。

あなたの間違い観はどのタイプ?

私自身、小中高と振り返ってみても、ほとんどの授業は安心できるようなものではありませんでした。常に緊張を強いられるような授業がほとんどだったような気がします。指名されて答えられなかったときなどは、当時立たされたり、頭を叩かれたこともありました。したがって先生が誰かを指名するような雰囲気になってきたときには、当てられないように、とにかく先生と目を合わせないようにしたものです。そのときの緊張は今でも思い出すほどです。でもそういうときに限って当てられてしまうことが少なくないのです。考えてもいないことについて、急に発言を強要されるほど嫌なことはありませんでした。

私はこのような自分の体験から、「子どもが自ら手を挙げない限り、突然指名し発言させるようなことはしない」と、教師になったある時期から固く決めたのでした。それ以来、新しく担任する度に、「手を挙げない限り、指名し発言をさせることはしません。安心してじっくり考えながら学習してください」と、子どもたちに話すようにしたのです。毎回子どもたちはほっとしたような表情をします。どの子にとっても、緊張せず安心して学習できることはうれしいことなのです。

授業は教師の間違いに対する見方・考え方、すなわちその教師の「間違い観」と密接に関わっています。教師の「間違い観」については、他の本の中でも触れましたが、大きく三つに分けることができます。

第一のタイプは、間違いはしてはならないという考え方の教師です。子どもが間違った答えを言ったときには、それを咎め、問題にする教師です。「こんなこともまだ解らないの？」「今まで何を勉強してきたの？」など、子どもたちが傷つくようなことを言われることも稀ではないのです。本人にとっては苦痛なことです。それが積み重なると、授業に対する意欲が失われていく可能性があります。教室の空気も次第に重くなっていきがちです。このタイプの教師は今では少なくなったものの、私が小学生の頃には、よく見られた教師の姿でした。

第二のタイプは、「誰だって間違うことはあるのよ。間違ったからと言ってバカにしちゃいけないよ」と、間違いに対して、やさしく対応してくださる教師たちです。今はこのタイプの良心的な教師が一番多いのではないかと思われます。教師から傷つくことを言われないだけでも、子どもたちは安心なのです。教師が温かく接していくことで、間違った子に対してバカにするような子は少なくなっていくにちがいありません。

しかし第二のタイプも、できれば間違わない方がいいという立場です。子どもたちは、「先生は間違ってもいいとは言っているものの、心の中ではできるだけ間違わない方がいい」という考え方であることを、容易に見抜いてしまいます。友だちが間違った発言をしたときの教師の表情、間違った子に対する言葉かけや対応などから、子どもたちはその教師の《間違い観》が解るのです。子どもの感性は想像以上に鋭いことに驚きます。このタイプの教師の対応では、次第に発言も少なくなっていく可能性があります。

第三のタイプは、間違いは無価値・無意味なものでは全くない。間違いはむしろ、学習にとっては必然的でさえある。間違いをもとに議論し合えば、学習は深まり、発見があり、面白く楽しい授業が可能だとする考え方です。学習における間違いの積極的な価値を重視します。間違いをススメるところが、他のタイプと大きく違うところです。

発言しない子も安心して学べる教室に

子どもたちが興味を持って意欲的に発言し、課題や本質に迫る学習にしていくためには、教師はどうしても、第三の立場で実践していく必要があります。この立場で1週間程度取り組んだだけでも変化が生まれます。数カ月間意識的に取り組めば、学級はガラリと変わってくるはずです。今まで発言しなかった子たちがどんどん発言し出します。間違いを恐れる必要などなくなるからです。個性的な考えが抵抗なく出されます。時には子どもたちから率直な疑問が投げかけられます。それをめぐって討論がまき起こります。賛成意見、反対意見が飛び交います。子どもたちは授業を通して、間違いが学習においていかに大事かを学びとっていくのです。私の経験では、1年間もすればクラスの子どもたちのほとんどが、発言できるようになっていきます。時には全員が自ら発言し出すようになる場合も少なくありません。確かに結果として、それ自体はうれしいことです。

でも私自身は、全員が発言することを目標にすることはありません。子どもに「発言しなくては」と感じさせるようなことは、避けたいからです。よく全員の子が発言できるように、班ごとに全員の氏名を模造紙に書き掲示し、誰がきょうは何回発言したかを記録するように取り組んでいるような実践もあります。しかし、プレッシャーにつながるようなことがあっては、自由な雰囲気が失われます。子どもは安心して授業に参加できなくなることも起こりうるからです。私自身は、何人か発言しない子がいるクラスの方が、人間の多様性を学ぶ上では、とてもいいとさえ思っています。発言しない子が、的確な考えをノートなどに書いていることも少なくありません。その考えをときどき学級の子どもたちに紹介してあげることで、「○○ちゃんは、発言しないけど、すごい考えを持っているんだ」という見方が拡がっていきます。発言しない子がいることで、人間の多様性を認め合う関係を築くことが可能になるのです。そういう状況がつくられると、それまで発言しなかった子も、自然に発言し出すということを、度々目の当たりにしてきました。一見マイナスに思われるようなことに、重要な価値を発見することは、創造的な実践を生み出していく上で欠かせません。

《沈黙の哲学》を身につけて入学してきた学生でも

もちろん「間違い観」だけで、授業は変わるものではないことを重ねて強調しておきたいと思います。学習内容や教材が魅力がなく、子どもたちの興味・関心からほど遠いものであれば、子どもたちが意欲的に学習することは困難です。生き生きした授業は、適切な学習内容やすぐれた教材ということが前提になって初めて可能になります。

小中高と、第一のタイプや第二のタイプの教師のもとで授業を受けることが多かった学生は、間違って恥をかかないようにする確実な方法、《沈黙の哲学》をすでに身につけて大学に入学してきます。教育学部の教職論の講義で、将来教師になる上で、これまでに自分が受けてきた教育について、あらためて振り返ってみることの重要性を語ったときのことです。講義後の感想にある学生が、「私は、小中高、特に小学校の時は、手を挙げなくても先生に当てられることが多かったです。…（中略）…ある時先生が手を挙げていない私を指名したのです。私は分からないから手を挙げていないため、しばらく考えましたが、やはり分かりませんでした。そんな私に先生は『なんで分からないいんだ』と言いました。別の日、同じことがありました。私は前回のように責められることが怖く、分からないなりに答えました。が、やはり間違っていると指摘されました。それから私は、手を挙げることすら怖くなりました。(後略)」と記しています。似たような体験をしている学生が想像していたより実に多いのです。

そんなこともあり、ある時期から最初の講義（「教職論」第1回目・ガイダンス）で、学びにおける間違いの重要性、《間違い観》を扱うようにしました。まだ友人もできないような状況で、しかも私とも事実上初対面にもかかわらず、「この講義では手を挙げない限り、指名し発言を求めるようなことはしません。安心して授業に参加してください」と語ると、学生の表情がみるみるうちに変わり出すのです。ほっとした表情になるのです。講義は一方的に話すのではなく、学生と対話する形で進めます。すると驚くことに、初日にもかかわらず、自ら手を挙げ発言する学生が何人かはいるのです。その意見のすぐれた点や物事の見方などについてコメントすると、授業の雰囲気もグーンとよくなっていきます。100人ぐらいの大勢の学生の前でも、自分も今度発言してみようという気持ちになるのです。2回目あたりからは10人前後の学生が発言するようになることも珍しくありません。間違いを恐れなくてもいい雰囲気が生まれると、大学生の段階でも大きく変わっていくことができるのです。

それだけに、将来子どもたちの教育を担っていこうとする学生には、確かで豊かな「間違い観」を深く学んで教師になってほしいものです。

3 「間違い」の持つ積極的意味

真理と事実から出発しても誤謬（間違い）に陥る

私は、間違いは物事の本質に迫る上で、むしろ積極的な意味を持っていることを、これまでも拙著などで書いてきました。

デマから出発すれば誤謬《ごびゅう》（間違い）に陥るが、事実から出発しても間違ってしまうことがあるのです。なぜそういうことが起こるのかを、板倉聖宣《いたくらきよのぶ》氏が『科学と方法(3)』の中で、以下のように述べています。

「誤謬（間違った考え方）がその一面にもっともらしさ、合理性をもっているということを認めるならば、我々は誤謬を克服するためには、『誤謬はバカげたもの―ついうっかりまちがえた、知識の不足から生じたもの―にすぎない』という常識的な見方を変えなくてはならない。そして、一面的なもっともらしさ、合理性というものがどんなものであるか、それが如何にして誤《ご》謬《びゅう》に導くのかということ―従って、どういう点に注意しなければならないかということを明らかにしなければならない。
誤謬がもっともらしい、合理的だと考えられるのは、それが確認されている真理（事実）にもとづいており、それを支える事実があると思われるからである。すなわち、われわれが誤謬におちいった時にも、はじめは真理と事実の上に立っていたのである。それでは、なぜ真理と事実から出発して誤謬におちいるのであろうか。ここでわれわれは、真理というものは、常に条件的にのみ真理であり得るのだということを思い返すことが大切である。」

このように板倉氏は、真理や事実から出発していても、間違いに陥ってしまうのはなぜなのかを問い、真理は常に条件的にのみ真理だと強調されています。正しいかどうか、真理かどうかは条件抜きには考えることができないというのは、重要な指摘です。

それは具体的にはどういうことなのか、ごく簡単な例で考えることにします。いま「リンゴがありますか」と問われたら、あなたはどう答えるでしょうか？「あります」とか「ありません」と答えることに、きっと躊躇してしまうでしょう。なぜなら、あるかないかは、どこにあるかという条件が明示されなければ言えないからです。そこにあるテーブルの上なのか、あのかごの中になのか、台所の冷蔵庫の中になのか、お腹の中になのか、というように限定して初めて、リンゴがあるか、ないかが言えるのです。

ものが存在するということは、そのものが具体的な場所・位置を占めているということです。したがってこの場合、《どこに》が条件ということになります。小学校で0（ゼロ）を学習するときに、皿などを使って指導します。皿の上にリンゴが3個あります。1個取ると、皿の上には2個残っています。さらにそこから1個取ると、皿の上にはまだ1個あります。今度はその1個を取ると、皿の上にはリンゴはありません。リンゴは0個です。皿の上と条件を明示することで、あるか、ないかが明らかになるのです。「真理は条件的にのみ真理だ」という意味は、簡単な例で示すとこのようになるものと思います。

こんなに大事な誤謬が《排除の対象》に

さらに板倉氏は、一切の誤謬《ごびゅう》（間違い）をなくすことなどできないのだということを、次のように書いています。

「我々は一切の誤謬をなくすることができるであろうか。—全く否である。我々が一切の誤謬を上の様にしてなくすためには、一切の真理の条件について充分知っていなくてはならないが、実は、われわれがそれらの条件・限界について知ることができるのは、誤謬をつみ重ねてこそなのである。」

間違いに陥らないようにするには、真理の条件について深く認識しなければならない。そのためには、間違いを積み重ねることは欠かせないのだと説いています。とても重要な指摘です。間違いと真理はまったくかけ離れたもののように感じられますが、ごくごく近い関係にあるのです。間違い抜きには真理について語れないということです。

板倉氏は、

「われわれが自然を更に深く認識しようとする時には、誤謬はつきものであり、本質的なのである。それは、対象が無限に多様であるのに対して、我々の認識そのものが限界づけられていることによるのである。

人間は自然に問いかけ、成功したり、うらぎられることによって真理とその条件（この二つは同じこと）を見い出し、自然に対する認識を深めて来たのである。誤謬をおそれず自然に働きかけ、誤謬から学ぶこと、これが認識を深める唯一の基礎であるところの実践の基本的な内容をなすのである」と強調して言います。

科学の歴史において間違い（誤謬）は、真理に到達する上で、重要な役割を担ってきたものです。教育現場では未だに、「間違いは意味のないもの」、「間違いはしないようにすること」であるという考え方が支配的です。間違いがもっぱら《排除の対象》になっていることは、残念なことです。

ノーベル化学賞を受賞された白川英樹教授は、触媒の量を間違ったことがきっかけで、偉大な発見を成し遂げたのでした。白川教授に続いて２００２年ノーベル化学賞を受賞された田中耕一さんの場合も、グリセリンとコバルトを間違って混ぜてしまったことが大発見につながりました。間違いを通して真理や物事の本質が見えてくるところが面白いところです。

これらのことは、決して科学者の世界だけに当てはまることではありません。子どもの学びにおいても、同じようなことが言えます。間違いを通して、課題や物事の本質にたどり着くことが少なくないのです。学校教育において間違いは、《排除の対象》などではなく、もっともっと大事にされなくてはなりません。

4 「間違い」「失敗」の保障が引き出す子どもの意欲

子どもの発言には無駄なものはひとつもない

そもそも間違いというのは、多くの場合、事実の欠片《かけら》や物事の一面を誇張して捉えることによって生まれることが少なくありません。そうだとすれば、間違いの中には事実の欠片や物事の一面が反映されていることになります。たとえ物事の一面であっても、みんなで物事の一面を出し合い、不十分さを補ったり、批判的に検討していけば、多面的に物事を把握することが可能になります。したがって、間違いだからと言って、価値が全くないわけではありません。

間違いと価値との関係は、ちょうど岩石と岩石の中に含まれている金や銀との関係と似ています。役に立つかどうかという点では、不必要な部分もありますが、すべてを捨て去るというのは、もったいない限りです。精錬という手間ひまをかけることをいとわなければ、役立つものを抽出することができます。

ほとんどの間違いが、物事の本質・真実に迫りうる可能性を秘めていることが多いのです。そう捉えると、間違った発言を単純に否定することなどできなくなってしまいます。どの子の発言も貴重なのです。子どもの発言には、なにひとつ無駄なものがないと言えるのです。

私は、たとえ全く事実でない発言であっても、集団の学びの中では、意味があると考えています。なぜなら、現代のこの社会においても、さまざまな「デマ」が飛び交っています。あたかも「息子」を装い、母親から多額のお金をだまし取るなどの事件が未だに続いている実態があります。もちろんデマは身近な暮らしに限ったことではありません。政治の世界でも、学問の世界でも、さまざまな分野で見られることです。デマやウソを見抜く力も、人間が生きていく上で不可欠です。人権を守る上でも、民主主義を発展させる上でも、重要な学びのひとつに位置づけられるべきものです。

水槽でぐったりしている魚が、酸素を注入されることによって、一瞬にしてピチピチ泳ぎ出すことがあります。これと同じように、間違い・失敗の保障は、子どもたちの発言しようとする勇気と意欲を生み出します。間違ったらどうしよう、バカにされたり笑われたりしないだろうか、という心配から子どもたちは解き放され、生き生き学習に参加するようになります。その姿を目の当たりにした教師は、間違い・失敗の保障が、こんなにも重要なことなんだと実感するにちがいありません。

《発言する権利》だけでなく《発言しない権利》も同等に

学級に人間的で自由な雰囲気をつくり出すためには、今、述べた間違い・失敗の保障だけでなく、権利や価値に対する教師の認識が問われます。教師は発言することが大事ということになれば、できるだけ早くどの子も発言できるようにしようとしがちです。発言についての目標を持たせたり、発言回数などをチェックしたりすることもあります。場合によっては、班ごとに発言回数などの状況を掲示し、競い合わせるなどして、目標を達成させるように取り組んでいる状況も見られます。

どの子も発言できるようにさせたいという願いそのものは、否定されるべきものではありませんが、なかなか発言できない子にとっては、苦痛を感じることも少なくないのです。そうであるならば、発言する権利だけでなく、発言しない権利、今、発言したくない権利も保障する必要があります。両方の権利をみとめることで、どの子にとっても、教室が自由で安心できる学習空間となっていきます。

もちろん発言のことだけではありません。書くことも同じです。書く権利を大事にするのであれば、書かない権利も、今書きたくない権利も保障することも求められます。なぜ私がそう考えるようになったかというと、高学年でのKくんとの出会いがありました。彼は、何かについて文章を書かなければならないようなときになると、鉛筆も持たず、机に伏せていることが多いのです。このまま放っておくと、彼への批難の声もあがる危険があると考え、子どもたちにこんな意味のことを語ったのです。

「みんなは今一所懸命書いている途中だけど、手を置いて、私の話をちょっと聞いてください。みんながよく知っているように、何か書かなければならないときになると、Kくんはよく何もせずに机に伏せているよね。でもね、Kくん本人は、自分もみんなのようにどんどん書けるようになりたいと、すごく思っているし、書かなくてはならないと強く感じているんだと思います。書くことはない訳ではないけれど、どんなことを書こうか、どういう順番で書こうかと悩んでいるうちに、どんどん時間が経って、書かないで終わってしまうことが多いのだと思います。でもね、みんな、味噌をつくることを考えてみて。大豆を煮て、それをすり潰し、塩と麹を入れてかき回して、すぐ食べても全然美味しくはないよ。発酵させることが大事よ。今、Kくんの悩みは、発酵と同じよ。Kくんが書き出したら、すごい文章を書けるようになるにちがいないと思います」と。

もちろん私自身も、彼がすぐに書き出すようになるとは思ってはいませんでした。ところが2、3日後に、彼は大学ノート1ページに小さな字でびっしり文章を書いて持ってきたのです。朝の会で読んであげると、子どもたちが驚いてしまいました。このことがきっかけで、彼は文章を書くようになったのです。彼が何も文章を書かず、机に伏せていたときに、どうして書かないのか、時間がないからすぐに書き始めなさいなどと教師が要求していたら、彼の書く意欲が生まれなかったかもしれません。私の話しが、彼のほんとうの思いと少し重なり響き合ったことが、彼が書き出すことにつながったのだと思います。

彼のそんな姿から、書くことを大事にすればするほど、今書きたくない権利、書かない権利も尊重することだと認識するようになりました。権利や価値というものを、一方だけ重視して捉えるのではなく、「対概念」として把握することが必要だと実感させられました。

権利は発掘・発見するもの

20年近く前までは、私は権利と言えば、日本国憲法や児童憲章、子どもの権利条約などをイメージしていました。ところがあるとき、雑誌の原稿を書いていたときに、権利というものは、すでに確定しているものではなく、まだ発見されていない権利は、無尽蔵に存在しているものであることにふと気づいたのです。これらを発見し、創造していくことが、人間的な自由に満ちた学級・学校にしていく上でも欠かせないと感じてきました。

あるとき書店で、たまたま荻上チキ氏の『未来をつくる権利』[4]（ＮＨＫ出版）を手に取ってみたのです。荻上チキ氏の「権利論」が、私が考えてきたことと共通する面があり、同じように考える方がおられると思って感動し、さっそく本を購入して読んだことを思いだします。興味のある方は、ぜひ直接『未来をつくる権利』（NHK出版）を読んでいただきたいものです。この本から、いくつか紹介するだけで、権利に対する荻上チキ氏の鋭く、ユニークな権利論を感じてもらえるものと思います。

「現在では、私たちはさまざまな権利を有しています。人格権とか、財産権とか、選挙権とか、生存権とか。職業選択の自由や表現の自由、集会・結社の自由なども権利の一種ですね。こうして私たちが手にしている権利の数々は、もともと自然に存在していたものではなく、人々が必要に応じて発見・発明してきたものです。」（11〜12ページ）「新たな権利を考えるということは、いまだ達成されていない新しい社会を構想することです。」（13ページ）「睡眠や排便も食事と同様、国の未来に関わる重要課題と位置づけ、権利として要求していくべきではないのでしょうか。つまり、『睡眠権』と『排便権』という権利を主張し、それが適切に満たされる環境をつくりあげていこう、というわけです」（85ページ）

「人には、『手を抜く権利』があります。人類は、手を抜くために、あれこれ英知を集めて、文明を発達させてきたのです。にもかかわらず、第三者がつべこべと、『べき論』のイデオロギーを押しつけすぎです。完璧を求めすぎてへとへとになったり、あるいは理想像とのギャップに苦しんで自罰的になったりしては、子どもとの笑顔の時間を増やすことなどできないでしょう。」（91ページ）

「時間外勤務は、受け持つクラスの人数ときれいに相関しています。…（中略）…事務コストを減らしつつ、人員を確保することにより、教師の睡眠権を確保するというのは、ひいては教育の質を高めることにもつながるでしょう。つまり、『しっかり寝て、最高の状態で仕事に臨んでください』と言えるようにしたいということです。ミスを減らし、質を向上させるために、『眠ってもらう権利』をさまざまな職業に行使することも、ひるがえって自分のためになるように思います。」（96〜97ページ）

「睡眠権」「排便権」「手を抜く権利」「眠ってもらう権利」など、新しい発想の権利論は、人間らしい社会、教育を創っていく上で重要な役割を担うことになるはずです。

子どもたちが安心して学び・生活する学校を創っていくためには、先ほど述べた豊かな間違い観と、権利や価値を「対概念」（発言する権利を大事にするのであれば、発言しない権利も同等に認める、書く権利を重視するのであれば、書かない権利も対等に尊重するという考え方）として捉えることは欠かせません。この二つのことに取り組めば、学級は、授業は、確実に変わり始めていきます。

ただ教師が「間違っていいのよ、人間誰だって間違うのだから」と言っていても、学級や授業は、簡単には変わっていくことはないのです。それだけ子どもたちは、間違ったことで嫌な思いをしたり、教師から咎《とが》められ、心の傷を負ってきたからでしょう。ただそういう子どもたちだからこそ、《間違い観》や、価値や権利を対概念として捉える教師の発想について共感できるものであれば、それを受け入れ、短期間で急速に変わっていくのです。まだ担任が子どもをよく知らない新学期最初の日であっても、そういう状況が生まれることは珍しいことではありません。どの子も、人間的な自由に満ちた学級や学びを渇望しているからです。そうなればしめたものです。子どもも教師も、緊張せず安心して授業に取り組むことができるようになります。

5　自由に発言できる教室が生み出すもの　社会科授業での実践例

▲の地図記号をめぐって対立・討論が起こる

教えたいことをすぐ教えてしまう授業は、交通機関に例えれば、鉄道を走る列車のようなものです。教師が準備・計画したことに沿って、授業が進んでいくことになります。教師からやり方を教えてもらい、何度も練習し覚えるような授業です。そしてテストでそれなりの点数がとれるように頑張るわけです。ところが教えたいことを教えない、子どもたちの力で学習の課題や物事の本質にたどり着くような授業は、乗用車型と言えるものです。コースは最初から特定されてはいません。舗装されている道路だけでなく、土や砂利などでも乗用車が通れる道があれば、基本的にはどこへでも行くことができます。前進も、バックも、停車も自由です。

私がある時期からめざしてきた授業は、乗用車型の授業でした。学習の課題、物事の本質をめざすためには、どの方向に進んだらよいかも、その都度子どもたちと共に探っていきます。教師の方は事前に子どもがこの教材でどう考えるかは、もちろん予想して授業に臨みます。ほとんどの場合、教師が想像したようには進みません。授業の最初に、子どもがどんな発言をするかで、授業の展開は大きく変わってきます。教師は子どもの発言と関わって、常に臨機応変に対応することが求められます。そういう授業では、最初は戸惑うこともあるかと思います。未知に直面し、教師が授業の中で深く考えなくてはならないことも少なくないからです。でも続けていると、これが教師という仕事の面白さだと実感するようになります。子どもたちと共に探求し、学習の課題や対象（教材）の本質にたどり着いたときには、子どもたちと共に教師自身も感動し、喜び合うことができます。

4年の1学期の社会科[5]で、地図記号を扱いました。それ以前は、地図記号は授業の対象にすることはありませんでした。ただ地図帳に載っているいろいろな記号を見て、確認する程度のことでした。そんなことなら、急げば15分か20分程度で終わってしまいます。なんとか地図記号も、面白く、楽しく学ぶことができないものかと考えました。どんなに抽象的なものであっても、子どもたちが発見し、深く学べるような授業は創れるはずです。三つぐらいの地図記号を授業で取り上げ、学べば、子どもたちは自ら進んでいろいろな地図記号を学ぶにちがいないと考えたのでした。

▲の地図記号の授業のときのことです。▲の記号は何を表しているのかを問題にしました。「北を表している」「山」「矢印」「三角」……などの意見が出されましたが、一番多かったのは、山を表していると主張した子どもたちでした。討論は、山かどうかをめぐって展開していきました。

Tくんは、それが「山だというのはおかしい。だって三角に似たような山もあるけど、ラクダのこぶのようになっている山もある。とんがっていない山はいっぱいある」「ほら、地図を見てよ。この茶色の部分は山でしょ。山を表すのだったら、この辺にも、この辺にも、この辺にも……▲の記号がついていないとおかしい」と主張したのです。周りの子どもたちからは、「たしかにそうだけど、この▲の記号は、山の頂上の部分、一番高いところを表している」「山はきちんと、このように三角形になっているわけでないけれど、こういう形で山だということがわかる」などの意見が次々出されました。Tくんも友だちの意見を聞きながら、一応納得した様子でした。彼の意見がきっかけで、▲の記号は《山》ではなく、《山頂》であることがはっきり理解されたのでした。

山にちがいないという意見に対して、Tくんの主張・反論がなければ、記号が山ではなく、山頂なんだということが、明確にされなかった可能性があります。子どもたちの認識が深まる上で、いかに対立・討論が重要かを物語っています。

その後、▲の地図記号の下に、1972などという数字が出ているが、これは何かが問題になりました。子どもたちは、山の高さにちがいないと主張。ところで、その単位が何かが議論になりました。話し合っていくうちに、子どもたちは山に登った経験や、長さについてのこれまでの学習から、「メートルにちがいない」ことをどの子も確信したようでした。メートルの他に、キロメートルやセンチメートルを主張する子はいませんでした。

最後に問題になったのは山の高さで、《どこから測った高さなのか》《基準にしているのはどこか》ということでした。最初に「山のふもと」という意見と、「道路」という意見が出されました。これには「山のふもとといっても、その場所によって、ふもとの高さが違う」「道路といっても、どの道路なのかはっきりしない。決まった高さに道路があるわけではない」「道路やふもとでは、あいまいで、すべての山の基準にはならない」「地図帳を見ると、外国の山の高さを測るときに基準にしているものと、日本の山の高さを測るときに基準にしているものは同じものであるはずだ。ふもとや道路は、基準にならないと思う」などの反論が出されました。

山の高さは海面を基準にしていると見抜く

そのうちにDくんが、山の高さの基準にしているのは、「海の海面」だと発言しました。私はこれで一件落着、すんなり授業が終わるものと思っていました。

ところがこれに対しても、「私は潮干狩りに行ったことがあるんだけど、海の水の高さだって変わるよ」という、もっともな意見が出されました。新たな事実や矛盾する点が明確になることで、認識は深まっていきます。

議論の末、「一番海面の高い所と一番海面の低い所の真ん中が基準になっているはずだ」という友だちの考えに、皆も納得しました。地図帳には、日本の山の高さだけではなく、世界の山の高さも記されています。したがって世界中が共通に山の高さを測ることの《ものさし》は、海の海面以外には考えられないと確信したのでした。まだ平均ということを学習していない子どもたちにもかかわらず、山の高さの基準にしているものが、海水面の平均であることをほぼ正確に掴《つか》むことができたのです。土地の高さや山の高さを示すのに海抜○○○○メートルなどと、海抜という言葉がなぜ入っているのかもよく解ったのでした。

標高と海抜は、厳密には少し違いがあるものの、いずれも平均海面が基になって、土地の高さや山の高さを表していることを、子どもたちが見つけたのです。まだ4年生なのに、感性を働かせ、想像・推理・対話・討論しながら、海の平均海面を基準にして山の高さを測定しているのだと、解き明かしたことは驚きです。この授業は、物事の本質を捉える上で、想像・推理し、矛盾する点を対話・討論することが、どんなに大事なのかを示しています。未知のことを探り突き止めるには欠かせないものです。

このような授業は、間違い・失敗を恐れず、自由に発言できる教室であってこそ可能になります。教師の豊かな間違い観が求められます。それができれば、授業が大きく変わっていくはずです。子どもたちは明日の授業が待ち遠しくなっていきます。
学ぶということは、先人が思考し生み出したり発見したことを、何らかの形で追体験することでもあります。学びは、授業前には考えてもいなかった世界と出合えるのです。それが楽しくてうれしくて、子どもたちは学ぶのです。わずか小さな▲という地図記号が新たな《世界を見る窓》になり得るのです。ただ教師が即教え、子どもが覚える授業だと、1、2分もあれば終わってしまうものです。それが議論することで、プロセスのある授業に変わっていくのです。間違いや異質と思われる考え・発言が、いかに授業で大事かを教えられます。

【1章の参考・引用文献】

(1) 今泉 博『崩壊クラスの再建』学陽書房(1998年)145～147ページ
修正・加筆して掲載しています。
(2) 今泉 博『指名しなくてもどの子も発言したくなる授業』学陽書房(2005年)46～54ページ
(3) 板倉聖宣『科学と方法』季節社(1971年)64～73ページ
(4) 荻上チキ『未来をつくる権利』NHK出版(2014年)81～107ページ
(5) 今泉 博『指名しなくてもどの子も発言したくなる授業』学陽書房(2005年)96～101ページ

2章
「教えたいこと」は「教えない」この矛盾を解決していくのがプロセスのある授業

1　「教えてしまう」ことで興味が半減

《からくり》を説明されて手品を見ても

本来学習は、疑問や謎を解く面白さに満ちているものです。「未知の世界」に踏み入る学習は、心が弾みます。想像・推理し、対話・討論しながら、未知に迫り解き明かしていきます。物事の本質や課題にたどり着いたときには、子どもも教師も感動します。

講義形式や説明型の授業は、この過程を事実上カットしてしまいます。教えたいことを即教えてしまうからです。これでは学習の面白さと喜びを体験することは困難です。

手品を観る楽しさは、どうしてそうなるか、観ている人に、すぐには解らないところにあります。手品師が、「こうするから、こうなるのだ」と、《からくり》をあらかじめ説明しておいて手品をしたならば、興味も面白さもなくなってしまいます。即教えてしまう講義形式や説明型の授業は、最初から《からくり》を教えてしまう手品と似ています。それはもう手品とは言えません。手品の面白さを全く感じることができなくなるからです。想像したり考えたりすることを結果的には奪ってしまうことになります。

もしそのような授業であれば、単に学ぶ面白さが失われてしまうだけではないのです。想像・推理したり、分析・総合したり、物事の関連を捉えていくという、学習で不可欠な思考プロセスを削ってしまうことになります。

山登り遠足を例にすれば、教えたいことを教えてしまうのは、教師が麓からロープウェーで、子どもたちをごく短時間に一気に山頂まで連れていくようなものです。これでは山登り遠足とは言えません。リュックを背負って、山道を汗をかきながら、一歩一歩足を運びながら登っていきます。遅い子がいれば、その子を励ましながら歩きます。道を間違ったと気づいたときには、ある地点まで戻り、頂上へ向かって進むことになります。こうして全員が無事にやっと頂上までたどり着いてこそ、遠足だと言えます。遠足は子どもたちにとって楽しみな行事であり、体力や判断力を養い協力し合うことを育てる大事な機会になります。

したがって授業の原則は、基本的には「教えたいこと」は「教えない」ことです。これは授業における矛盾です。この矛盾を解決していくプロセスが授業です。教えないことによって、学習は豊かになります。内面の知的活動が活発にならざるを得ないからです。子どもたちは、自分たちが遊びや体験、読書や映像などを通して得たものを基に、みんなで知恵を総動員して、学習の対象・教材に迫ることになります。このような中でこそ、人間としての諸能力の開花にも繋がっていきます。

考える学習は「内的緊張」を生み出します。「静かにしなさい」などと言わなくても、自然に集中するようになります。集中は「させるもの」ではなく、「生まれるもの」だからです。学習で大事なことは、「外的緊張」ではなく「内的緊張」です。

子どもたちが共同で対話・討論、想像・推理しながら、物事の本質を発見していくような学びが、今、求められています。自ら主体的に参加することで、一段と学習が活気づき、面白さや感動も倍加していきます。子どもたちが学習の対象に意欲的に関わることは、教育的にも重要です。対象に自ら働きかけることによってこそ、認識が深まり、子どもたちの成長・発達が可能になるからです。

未知を解き明かすのが面白い

授業を考える上で、「未知」と「既知」という概念は欠かせません。しかし不思議なことに、その重要性はほとんど認識されていないと言っていい状況です。「未知」と「既知」を意識するかどうかで、授業観、授業実践はまるで違ったものになります。『広辞苑 第六版』(1)(岩波書店)によれば、「未知」とは、「まだ知らないこと。まだ知られていないこと」と記されています。「既知」とは、「すでに知っていること。すでに知られていること」と定義づけられています。未知と既知は対極にある概念です。学びは、未知の段階から既知の段階へとたどり着くことで、一応成し遂げられます。今、一応という言い方をしたのは、ひとつのことが解き明かされても、すべてが完結する訳ではないからです。新たな疑問が湧いてくる場合も少なくないのです。その新たな未知を解き明かすことで学びは発展していきます。

長い間、教えたいことを教えてきた教師にとっては、「未知」を重視する発想は生まれにくいのかもしれません。なぜなら、教えたいことをすぐ教えてしまうということは、「未知」を直ちに「既知」にしてしまうことになるからです。教えたいことを即教えてしまうような授業は、どうしてもやり方を憶えたり、その方法をくり返し練習・習熟し、身につけるようにすることに流れざるを得ません。子どもたちが想像したり推理しながら、さまざまな角度から思考し、対話・討論を積み重ねながら学びの対象に迫っていくことを、事実上させないで終わってしまいます。そのようにして身につけた「学力」は、身につけたはずなのにこれまでも多くの方々が指摘してきたように、「剥落《はくらく》する学力」になってしまう可能性が大です。意味もよくわからないことを、機械的に憶えたり暗記したりしても、忘却の一途をたどってしまいがちです。

ある現象がそうなるのは何でだろう？　と、不思議でどうしても解き明かしたくなった学習や、身体まで使って夢中で取り組んだ授業は、憶えようとしなくても、長く記憶にとどまるものです。

2　バットを持ち込んでの〝教えない〟理科授業

「バット回し対決」という板書に歓声　―《問い》が明確になる前段階

どんな授業でも、最初に子どもたちがどんな質の教材と、どんな出合い方をするかで、授業は大きく変わっていきます。授業における教材の導入の仕方が、授業を大きく左右することから、その重要性が古くから強調されてきました。その段階で子どもたちが、教材に興味を抱き、「どうしてそうなるのだろう？」と不思議に感じたり、その理由を探りたくなれば、しめたものです。なぜなら、《問い》が明確になったときに、授業が深まるからです。

授業の最初は、飛行機を例にすれば、陸離するときです。おそらくパイロットは、滑走路を飛行機が徐々にスピードをあげ走り出し、離陸して安定飛行に移るまでが一番神経を使うのだと思われます。離陸するときにエンジンのトラブルやさまざまな危険が起こりうるからです。

授業でも同じようなことが言えます。この段階で子どもたちの集中が自然に生まれれば、授業が最後まで充実したものになる可能性が大です。

ある日の3校時は理科の授業でした。20分休み終了のチャイムがなったので、私は職員室から6本のバットを持って3階の教室に向かって、階段を上り始めました。校庭で遊んでいた子たちも、次々と校舎に入り、階段を上ってきます。私のクラスの子どもたちは、「次の理科の時間に何をやるの?」「野球をやらせてくれるの?」……などと声をかけてきます。私は「そうよ、君たち一所懸命勉強しているので、たまあには野球でもやらせないとね」と冗談を言いながら、教室に入って行きました。バットを持って行ったこともあり、かなりの子どもたちは、ほんとうに野球をやらせてくれるのではないかと思ったようです。

理科の時間に今日やることは、これですと言いながら、チョークでゆっくりゆっくり書き始めました。最初に斜めの線(/)を書きました。この段階で、ニヤニヤしている子がいるのです。もう予想ができているのです。さらに線を付け加え(ハ)と書くと「やっぱし」というような表情をしています。まだ何か想像できない子ももちろんいましたが、7、8人の子たちは、私が絶対に(バ)と書くにちがいないと確信しているようでした。みんなが集中して固唾を飲みながら黒板を見つめているのです。《バット》と書き、それに引き続き、《回し対決》と書くと、教室に歓声があがりました。

「てこと輪軸」などではなく、授業タイトルを「バット回し対決[2]」としたことで、楽しそうだと感じたのでしょう。タイトルひとつでも、子どもたちの興味をぐーんと高めることができるのだと実感しました。

男女対決とあって一段と盛り上がる

対決戦の結果を書く欄を黒板に書き、いよいよ対決戦の開始です。そこで、バット回し対決の仕方を最初に確認しました。「バットの端を両手でしっかり握ります。どっちが太い方を握るか、どっちが細い方を握るかは、私の方で決めさせてもらいます。細い方を握った人が、左回しにするか、右回しにするか、自分の回しやすい方を決めます。太い方を持った人は、細い方を持った人とは反対の方向に回します。二人ずつ出てきてやってもらいます」と言うと、何人もの子が「やりたい」と言って手を挙げました。「それじゃあー、OくんとBくんが出てきて、回してください」と言って、私がプロボクシングやプロレスのように、対戦者を、赤コーナーOくん、青コーナーBくんと紹介しました。

すると、「頑張れ」という声があがり、一段と雰囲気が盛り上がるのです。「Oくんはバットの細い方を握り、Bくんはバットの太い方を握ること。Oくんはどっちに回したい?」と聞いてみると「右の方」と言うので、Bくんには左に回してもらうことにしました。「よーい、始め」と言うと、二人は必死で回そうとします。しかしスポーツも大好きで体もがっちりしているOくんが必死でこらえて、引き分けに持ち込んだのです。

実際にバット回し対決を見ているうちに面白くなってきたのか、男子だけでなく、女子も何人も手を挙げ出しました。それは私が望むところであったのです。2回目からは男女が対決するようにしました。子どもたちは、ますます興味が湧きます。後ろの席の子どもたちは、よく見えるように、机の上に立って見ているのです。もちろん私は、バットの太い方を女の子に握らせ、細い方を男の子に握るように指示し、さっきと同じように行います。男女対決とあって、さらに応援が盛り上がります。「よーい、始め」と言うと、必死でお互いに回し始めますが、女子が勝つのです。その次も、またその次も女子が勝ち続けたのです。10回戦行った「バット回し対決」は、最初の男子対男子の引き分けを除き、すべて女の子が圧勝したのでした。

「今この対決戦結果の表を見て、解ることはどんなことですか?」と聞いてみました。子どもたちからはすぐに「細い方より、太い方を回した方が勝っている」、「太い方が有利」だという意見が返ってきました。当然体力があり、おそらく勝つだろうと思っていた男の子たちも、次々負けてしまったので、子どもたちは驚いたのです。それはなぜなのか、理由を解き明かしたくなったのです。太い方が勝っているのだから、太いとか細いとかいうあたりに、何か理由があるのだろうと感じとったにちがいありません。それはなぜなのかは、まだ全く解らないのです。「バット回し対決」を実際に行うことで、子どもたちが解き明かしたい《未知》の課題がどの子にも意識されたのです。《問い》が鮮明になることで、深い学びが可能になります。

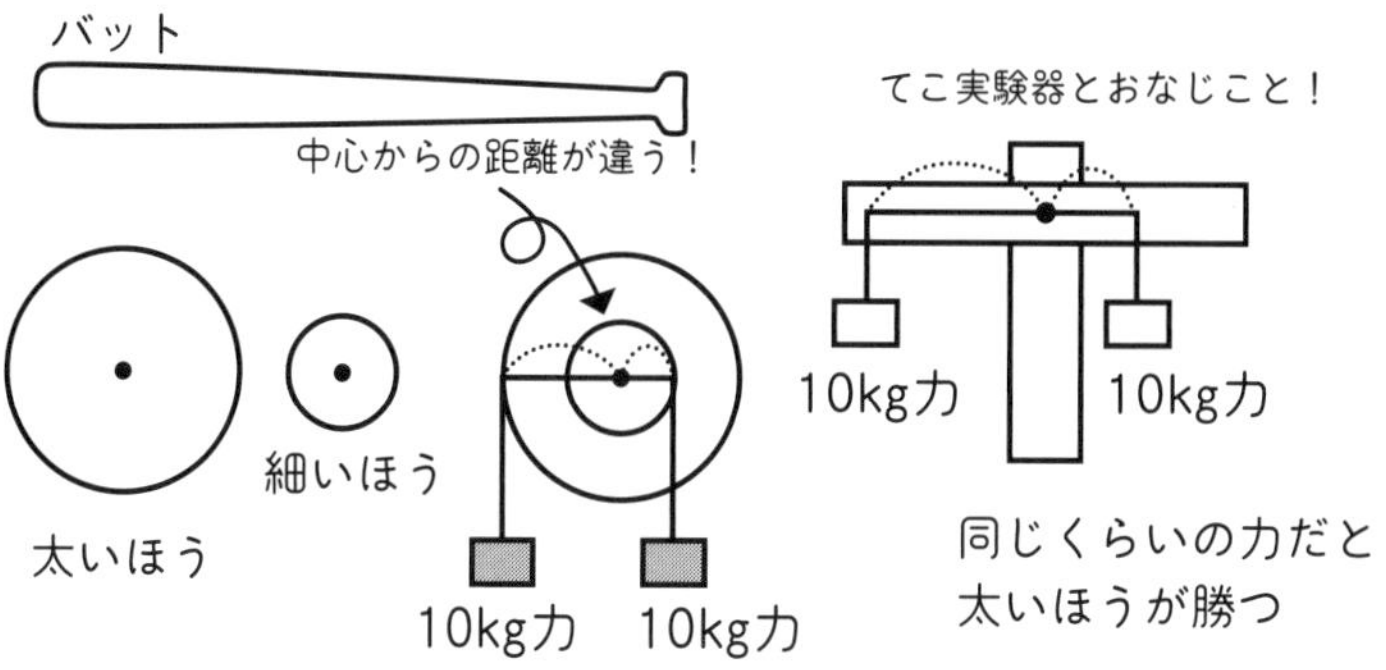

バットの中に《てこ実験器》が秘められているなんて

そこで私が「どうして、太い方が有利なんだろう」と問いかけました。そして細い方のバットの断面図（小さめの円）と太い方のバットの断面図（大きめの円）を書き、バットを目の前にまっすぐおき、望遠鏡でも覗くような感じにしてみたのです。「バットをこう見たら、二つの断面（大きめな円と小さめな円）が重なっているはずだよね」と話しました。すると、「太い方が強いのは、中心からの距離が長いからだと思います」という発言が出されます。私がすかさず、「すごい、いいこと見つけたじゃない」とコメントしました。すると続いて「先生、てこ実験器と同じじゃないですか」という鋭い意見が出されたのです。もちろん、この授業の前に何時間か、てこ実験器を使い、トルク[3]（モーメント）について考え実験していたものの、この段階でバットの中に《てこ実験器》をイメージすることができたことには、私自身も驚いてしまいました。「あなたもすごいね。ここが《てこ実験器》」と同じ訳だね。それじゃ、ここを今切ってみることにするよ。この部分を取り出して書くと、……こうなるでしょ。これ何になった?」と聞いてみると、「てこ」「てこ実験器」という声が返ってくる。

「そうだね。バット回しの場合も、てこ実験器と同じように考えればいいということだね。今、仮に左右それぞれのてこ実験器に10kg分の力が加わったとしても、太い方のトルク(モーメント)が大きいから、左側に回ってしまう。結局バットの太い方を握った方が有利だということがわかります。なぜ有利か、その理由を発見したところがさすがです」と話しました。

この後、各班に1本ずつバットを渡し、班ごとにバット回し対決を行いました。子どもたちは、なんとか勝とうとして必死に回そうとします。でも結果はほとんど太い方が勝ちます。バット回し対決ひとつにも、自然の法則が貫かれていること、ただ全力で回そうとしても勝てるものではないことを、子どもたちは実感したのです。

謎が解き明かされて感動

どの子も、あのバットの中にてこ(トルク)の原理が隠されていることに、驚いたのです。授業の感想には、子どもたちの感動が次のように記されていました。

●「金曜日に理科でバット回しをしました。ぼくも、2、3回目にやりました。ぼくは太い方を持ってやりました。そしたら、ひねる（回す）ことができました。その時は、気持ちよかったです。そして、あんなバットにも、てこがかくされていたなんて、すごくびっくりしました。」

●「バットがてこ実験器のようになっていて、バットの持つところは、支点からのきょりが短くなるので、同じくらいの力なら、太い方がゆうりになります。…（中略）…バットを回すのがとても楽しかったです。楽しいバット回し対決のあとで、どうして太い方が勝ったのかわかっておもしろかったです。またやりたいです。てこが使われている道具は、とても身近にあるんだなあと思いました。ほかにどんなものがあるか、調べてみたいです。」

あれだけ盛り上がったバット回し対決は、どの子も楽しむことができました。ある意味ではそれ以上に、太い方がなぜ有利なのか、その理由が解き明かされたことが感動だったのです。科学の面白さが実感できたのです。この質の感動と喜びを、どの教科でも大事にしていきたいものです。

「少しの力で大きなトルク（力）を生み出す道具を、人間は作ってきました。さてどんな道具があるだろう？」と問いかけると、子どもたちから、「釘抜き」「びんの栓をとる栓抜き」「ドライバー」「ハサミ」「水道の蛇口の回すところ」「ガスをつけるときに回すところ」「自転車のペダルのところ」……などたくさん出されます。

するとひとりの子が、黒板の上の方に設置されているスピーカーを止めてあるネジをめざとく見つけ、ドライバーでネジを取り外してほしいと言うのです。そこで教卓に私が上がって、持つところが太いドライバーを使い左に回すと、固く閉められていたネジが簡単に緩み、瞬く間に外すことができました。子どもたちから、「オー」という驚きの声があがります。ドライバーを握り回すところが、ネジと接する鉄の部分とはまるで違って、太くなっているからだと実感できるのです。バット回し対決で掴《つか》んだ、あの《てこ実験器》のイメージから、トルクの原理がここでも使われていることを子どもたちは確信するのです。

理科の実験準備室に行ってみたら、購入してから今まで、何年間も使っていない1メートル四方くらいの鉄と銅の鉄板があったのです。それを教室に持ってきて、子どもたちの前で金切りバサミで、自由にすいすい曲線をイメージして切っていきました。紙なら別ですが、金属をこれほどまでに簡単に切ることができる金切りバサミのすごさに、子どもたちは目を見張ります。子どもたちは、紙や布などを切るハサミと違って、刃の部分よりも握り手の部分がとても長いことにもすぐ気づきました。ここでも子どもたちは、《てこ実験器》（56ページ参照）を頭の中にイメージするのです。てこ実験器の支点を金切りバサミの支点に重ねてイメージし、右側を長い取っ手の長さとすれば、てこ実験器の支点からの短い刃の部分が左側となる。2本の右の方の取っ手を強く握る（力を加えると）と、左側の刃の部分に強い力が加わることで、鉄板が切断されることになる。鉄板を切ってしまうのだから、刃は丈夫でよく切れるようになっているのだろうと、子どもたちも容易に想像できるのです。

3 興味・知的好奇心が生まれるテーマであってこそ

釘はなぜバールで簡単に抜けてしまうのか

前回の時間に、トルクを大きくするための道具のひとつとして、バール（釘抜き）があがっていました。そこでこの日は、バールと金づちと、かなり太く長い釘、それに垂木（たるき）の切れ端を用意しました。私が子どもたちの前で、その垂木に太い釘を力を入れて金づちで打ちつけます。私がその釘を手で必死になって引っ張っても、全くびくともしません。バールを使ってやってみると、たちまち抜けてしまうのです。そこで、その理由をみんなで解き明かすことにしました。

「手では抜けない釘が、バールを使うと、どうしてこうも簡単に抜けるのだろう？」

「これも、てこ実験器と同じだと思います」

「バールの場合、支点はどこですか」

「そこの曲がったところ」

●バールでくぎを抜く　　●てこ実験器

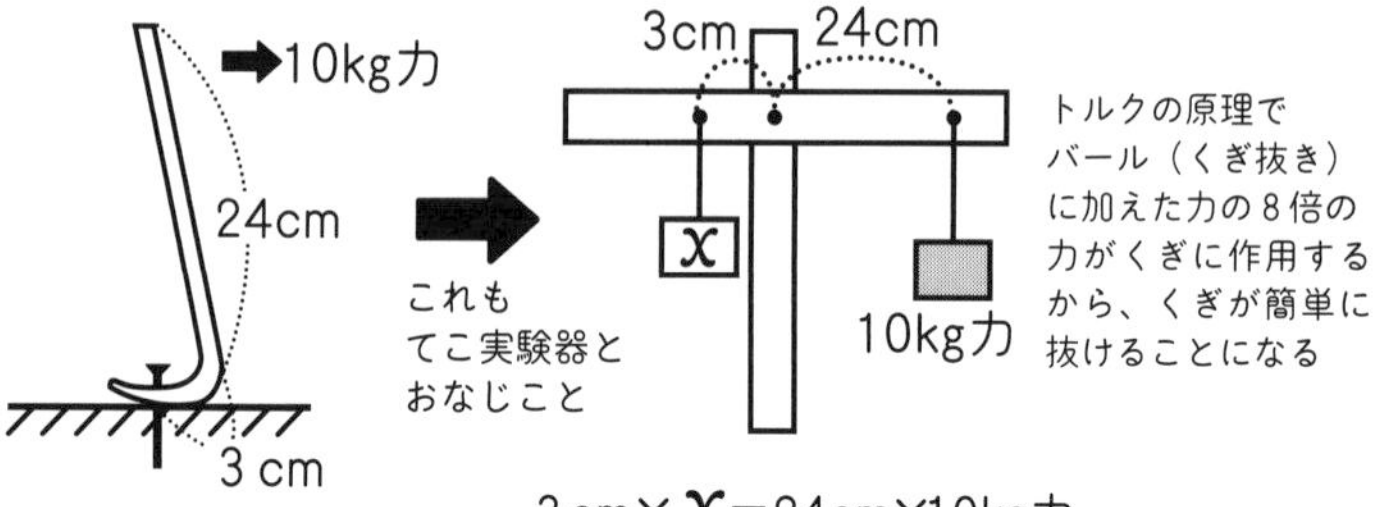
10kg力
24cm
3 cm
これも
てこ実験器と
おなじこと
3cm
24cm
X
10kg力
トルクの原理で
バール（くぎ抜き）
に加えた力の8倍の
力がくぎに作用する
から、くぎが簡単に
抜けることになる

3cm×X＝24cm×10kg力
X＝80kg力

「あなたちょっと前に出てきて、支点はどこか教えてください」

「ここが支点だね」

「今、バールのこの長さが24㎝ということは、てこ実験器のどっちが24㎝と考えればいいですか？」

「右側」

「こっちの方が、この支点から24㎝ということね。今、仮に、バールを10㎏分の力で引っ張ったとすると、ここに何㎏の重さをつるすことと同じですか？」

「10㎏」

「そうですね。それじゃ左の方は、支点から何㎝のところに重りをつるすことと同じになりますか？」

「今、この重さがわからないから……」

「□にする」

「Xにする」

「算数の文字と式で学習したようにXを使えばいいのですね」

「右側のトルク（モーメント）は、支点からの距離×力の大きさだから、式はどうなりますか？

（トルクの単位《kg力・cm》を省略して）」

「24×10」

「右側のトルクは240ということですね」

「左側は……」

「3×X」

「すると式は？」

「3×X＝24×10」

「3×X＝240」

「Xを出すには……？」

「240を3で割ればいい」

「80」

「バールで10kg分の力でここをぐいと引くと、釘のところ（バールの先）には80kgの力が加わるということだね。10kg力から80kg力になったということは、何倍ですか？」

「8倍」

「ここに力を加えた分の8倍の力が、ここに加わることになるから、手で引っ張ってもびくともしなかった釘が、いとも簡単に抜けるということですね」

バールについては、今までも見たり、実際に使ったことのある子どもたちは少なくありません。そのバールがトルクの原理を実にうまく使っていることに、子どもたちは目を見張ります。

私も発明発見をしてみたい

「トルクは計算で出せておもしろかった。物理は、もっとごちゃごちゃしているものだと思っていたから、わけがわからなくなると思っていたけど、私でもわかっておもしろかった。てこを利用したものなんてあるかなあと思ってさがしてみたら、赤ちゃんのおもちゃまで、てこを利用したものがあった。てこという科学で、人類を幸せにできていいと思った。もし、この技術がなかったら、なにをやるにも力をいれないとできなくて、この世の中は、とても力の強い、力士ぐらいしか住めないと思った。てこのほかにも、いろいろな薬や、電磁石や、電波は、人々の生活を便利にしている。

中、高とどんどん大きくなって、てこ以外にいろいろな物理学をやるけど、その時も、どんなところに使われているかさがしてみたい。

そして、科学は、人々をしあわせにするためや、楽しませるために、使うものだなと思った。私も、人々を幸せにする発明発見をしてみたいと思った。私は、前よりも理科が好きになった。そして、過去にいろいろな発明発見をして、人々をしあわせにしている人たちに感謝したい。」

このように、ある子は書いています。授業で感動したり、驚いたことがあると、教師が家で調べてくるようになど全く言わなくても、興味を持って自然に探求し出すのです。赤ちゃんのおもちゃにまで、トルクの原理が使われていることに驚くのです。学ぶことで、人間の生活が見えてきます。科学の面白さを、子どもたちは実感するのです。

学ぶとは、当たり前だと思っていたことが、深い意味を含んでいると知ることでもあります。物事の秘密を解き明かしていくことは、他では味わえない楽しみなのです。学びは発見なのです。道具ひとつにも、人間の知恵と技術が凝縮されているものであることを、子どもたちは実感していきます。学びが深まれば深まるほど、事物や道具の向こうに、自然の法則や人間が見えてくるものです。「こんなにすごいバールを、どこの人が、いつの時代につくったものか知りたくなった」と感想を述べた子がいました。学びの感動は、ますます知的好奇心をかきたてくれます。知的興奮は、認識を深める原動力です。

授業後もトルクの質問が続く

Iさんは、家庭学習のプリントに、「何でもてこ実験器で考える」という小見出しをつけて、こう書いています。

「今日、理科でバールや力点、支点、作用点について勉強しました。バールは、一見てことは関係ないように見えるけど、バールだって、てこ実験器と同じように考えることができるのです。たとえば、上の場合10kg分の力を出しています。『10kg分の力でひっぱると、くぎのところには、80kg分の力が加わります。だからくぎがぬけます』ということです。8倍の力になってしまうので、便利だなあと思いました。」

Oさんは、簡単に釘を抜いてしまうバールというものに驚いて、こう記しています。

「これを考えつくのに、何年間ぐらいかかったんだろうと思いました。くぎをぬくのはめんどうくさいことだけど、おもしろくて、好きになりました。…（中略）…10kgの力でひっぱると、くぎのところには、80kg分の力が加わることがわかりました。だから、くぎはかんたんにぬけます。今日の理科は楽しかったです。」

この一連の授業の最後に、トルクを大きくする道具の絵を描くことにしました。子どもたちは、家から「栓抜き」や「つめ切り」、「洗濯バサミ」、「缶切り」などを持ってきました。学校にあった「ペンチ」、「バール」、「金切りバサミ」……なども並べました。それらの道具の中から一点選んで、鉛筆や色鉛筆を使って描いたのです。トルクのことを学習した後だけに、道具に対する見方が深まりました。対象に対する認識の度合いに応じて、絵の表現も変わっていくのだと思いました。普段は本の世界に没頭しているEくんも、熱心に道具と向き合い、鉛筆で見事な絵に仕上げました。

トルクの学習が終わっても、しばらくの間、「先生、これもトルクに関係あるんですか」と質問する子たちがいました。子どもたちにとって、深く学ぶことで、これまで疑問に思っていたことが解けていくことは、とてもとてもうれしいことなのです。

Yくんは私のところに来て、「先生、ペットボトルのふたが取れにくいとき、細いふたの方を押さえて、ペットボトルの太い方を回してふたを取るのも、トルクに関係ありますか」と質問するのです。「Yくん、賢いね。もちろんそれもトルクと大いに関係ありますす」と話すと、うれしそうな表情をして帰って行きました。

次の日の朝、私が教室で仕事をしていると、Kくんが「おはようございます」と入ってきて、「ぼくは、野球チームに入っています。それでいつも不思議に思っていたことだけど、同じバットなのに、持つところによって、重さが違ったかのように感じられます。これもトルクに関係があるのですか」と質問してきたのです。「Kくんもさすがだね。今までずうっと疑問に思っていたことを、今回学んだこととつなげて考えたところが素晴らしい」。「こうバットの真ん中あたりを持つと、そんなに重く感じられないのに、バットの細い方の端を持つと、トルクの原理で太い方に回るように力が働くから、とても重く感じられるね」と、話してあげました。自分が考えたことは、間違いでなかったんだという気持ちに、Kくんはなったようでした。

トルクの学習が強く印象に残ったのか、しばらくの間、このような質問が続きました。

トルクの原理をひとつ学ぶだけでも、道具や人間の生活が、かなりよく見えてくるのです。それが楽しくて、子どもたちは学習に向かうのです。

「みんなで使うものを大切にしよう」「道具を大事に扱うのですよ」といくら言っても、なかなかそうできない子も、道具に対する認識を深めていくことで、徐々に変わっていくことになるのではないでしょうか。心構えだけではなかなかできないことも、そのものを深く知ることで変わっていくことが少なくありません。

トルクの原理という本質的なことを学ぶことによって、子どもたちの探究心が高まり、自分の周りに存在しているさまざまな事物に思考は及ぶのです。トルクの原理にお世話にならなくては、水道の蛇口を開き、水を飲むことも、車のハンドルを握って運転することも困難になってしまいます。玄関のドアの出入りだって、もし取っ手が、蝶番（ちょうつがい）が付いている側のすぐ近くにあるのであれば、その取っ手を引いたり押したりしても、容易に入ったり出たりすることはできません。蝶番の側からずうっと離れたところに、取っ手を付けることで、少しの力でもトルクが大きくなるようにしているのです。お家にあるものだけでも、トルクの原理が使われているものは、想像以上にかなりの数に上ると思われます。

高い塔に上れば、その地域一帯の全体像が見えてくるように、大事なことのほんのいくつかを深く学ぶだけで、その世界のことが見えてくるのです。そういう意味では、現在の学習指導要領や教育課程が根本的なところで、大きく変わっていかなくてはならないように感じられます。

4　漢字の世界は深くて面白い

漢字の授業　―多くの場合もっぱら機械的に練習

私が小学生のときには、毎日のように、習った漢字を50回ほど書く宿題が出された記憶があります。もちろん漢字の成り立ちなどは、一度も教えてもらったことはありませんでした。クラスの子どもたちの多くは、その宿題を短時間で終えるようにしていました。砂という漢字ならば、音読みと訓読みでどう読むかを確認します。その後、偏（へん）の方の「石」だけをノートにどんどん書いていきます。同じようにして、旁（つくり）の方の「少」を次々に書いていったものです。もっぱら機械的に練習することが中心で、漢字に対して興味も面白さも感じるようなことはほとんどありませんでした。

とくに中・高学年になると漢字の量が多いだけに、すべての漢字を丁寧に扱うということは困難です。しかし、「これは、ぜひ丁寧に授業してみたい」と思う漢字については、豊かに学べるようにしたいものです。ときどき漢字を生み出した人々の生活ぶりや想いになんらかの形で触れながら、漢字の世界の面白さと魅力を実感できれば、子どもたちは興味を持って自主的に漢字学習に取り組むようになります。そのためには、漢字の成り立ちを学べるようにすることです。

ただ漢字の筆順と音読み・訓読みを教師が即教え、漢字を機械的に練習させるのであれば、ごく短時間で済ますことはできます。しかしそれでは、長く心に残るような漢字学習にはなりにくいものです。

小さな楕円から始める漢字「包」の授業

黒板に、小さな楕円を少し斜めにしたものを描くと、次々と手が挙がります。

「米粒」

「タネ」

「まめ」

「人間」

「人間の何？」

「人間の頭」

「人間の顔」

黒板に書いた楕円の形から、子どもたちは感性を働かせ、推理・想像しながら何を表現しているか考えます。４年の４月から学び出した漢字の成り立ちで、楕円のような形は頭（顔）のことが多かったことから、今回もきっとそうにちがいないと予想したのです。

「これは何人かの人が言ってくれたように、人間の頭（顔）です。これが人間の頭だとすれば、これは何を表しますか?」と、黒板に次のものを描くと、

「人」

「身体」

「身体のどこがふくれていますか」

「お腹」

「そうだね。お腹だね」

「お腹がふくれているこの人は、男性だろうか、女性だろうか」

「両方だと思います」

「男性にも太っている人がいるし、女だとお腹に赤ちゃんがいて太って見える人がいるから」

「『両方』だということだね。お腹がふくらんでいるからと言って、女性だとは言えないということなんだ。この間、私が電車に乗っていたら、ものすごく太っている男性がいました。ところで女性のお腹が太くなるのは、どういう場合ですか」

「妊婦さん」

「あなた、難しい言葉を知っているね。妊婦ってどういう意味ですか」

「お腹の中に赤ちゃんがいる女性のこと」

「妊娠した婦人の方だから、妊婦というんですね」

「食べ過ぎた」

「ぱくぱく食べ過ぎて、太る場合も確かにあります」

「ストレスで太ってしまう」

「実はね、このお腹に……これは何ですか」

「オタマジャクシみたい」

「赤ちゃん」

「赤ちゃんになる前のもの」

「まだ完全に赤ちゃんのようにはなっていないけど、これから赤ちゃんになっていくものということだね」

「人間が飲み込んだ種」

「魚の骨だと思う」

「これは赤ちゃんができた母親を表しています」

「赤ちゃんの周りには、何があるんだろう?」

「お母さんのお腹がある」

「確かにそうだよね。それをもっと詳しく言ってみて」

「身体がある」

「卵巣、子宮」

「そこで赤ちゃんが育ってきているんだよね」

授業(4)では、子どもたちがいつか母親や父親から聞いた話や、本などで知ったことなどが出され、それが繋がり、胎児のイメージが徐々に確かなものになっていきます。それにしても子どもたちから、妊婦や卵巣などという言葉が出てくるとは思っていませんでした。

「羊水に包まれている胎児」から拡がる学び

「ちょっと、これ見てください。なんの写真だろう？　……何が見えてくる？」と言いながら、くるくる丸めて置いた写真を、黒板の上の方から下へ、ゆっくりゆっくり下へ延ばし始めました。子どもたちは興味津々なのです。何が現れるのか？　全員の目がその写真に注がれます。まだ1㎝も延ばしていないのに、曲線のような形がほんのちょっと見えてきただけで、「赤ちゃんの頭じゃないか」と捉えてしまうから驚きます。さらに写真を最後まで延ばしていくと、母親の羊水の中に浮かんでいる胎児(5)の写真が鮮明に見えてきます。

「ここはなんだろうね」

「たまご」

「ニワトリの卵みたい」

「手」

「うで」


「これを見て思ったことを言ってみてください」

「水」

子どもたちは、水の中では赤ちゃんは呼吸ができず、生きていけないのではないかと心配になるのです。

「水ってわかったんだね。実は水の中に赤ちゃんは浮いているんです。さっきSくんが卵って言ったよね。これは卵のなごりじゃないかという学者もいます。……この写真を見て、不思議に感じることない？」

「水の中に入っていたら、息ができないんじゃない？　あなたたちもそういう世界にいたんだよ」

「たぶん、へその緒で息ができるのだと思います」

「みんなにもへそがあるよね。へその緒って何？」

「お母さんの食べたものが栄養になって送られる」

「栄養を送る管ということね。栄養のことはわかったけど、それじゃ息を吸うのはどうするのだろう？」

子どもからお母さんと胎児は、へその緒で繋がっているという意見が出されたので、母親と胎児がへその緒で繋がっていることがはっきり解る写真を黒板に掲示しました。

「お母さんとへその緒で繋がっているんだ。今、へその緒（管）のことが出てきたから、こっちの方を見てください。この写真でへその緒（管）は、わかるかな？」

「これは何？」

「赤ちゃん」

「管みたいなものって、この写真の中にある？」

「はい、Kくん、前に出てきてどれが管か教えて」

「あっ、これなんだ」

「これは赤ちゃんの、どのあたりと繋がっているように見えますか？」

「へそ」

「それじゃ、こっちは何？」

「お母さん」

「そうだね、お母さんのへそのところに繋がっているんですね。でも栄養だけだったら、死んじゃうよね」

「空気（酸素）が送られている」

「血管で」

「そうです。空気（酸素）は血液によって運ばれていきます」

「赤ちゃんに害になるものを飲んだり食べたりした場合、どうなるんでしょう？」

「お酒なんかを飲んだら、赤ちゃんの方にも入っていくと思う。身体や手が変になったりすることがある」

「赤ちゃんに害になるものは、ほとんどシャットアウトされるように（入っていかないように）できているけど、タバコや薬などの中には、血液によって赤ちゃんに運ばれるものもあるんです」

「過激なことをすると、赤ちゃんにも影響するって、お母さんが言ってたよ」

そう言えば、うちのお母さん、いつかタバコや、薬などによっては、胎児に悪影響する危険があると言っていた、ということを思い出して、子どもたちは発言しているのです。

「お母さんは生まれてくる赤ちゃんを大事にしているんだ。この漢字は何を表しているんだろう？　赤ちゃんは水や膜やお母さんの身体にどのようにされているの？」

「包まれている」

「赤ちゃんは何に包まれているんだろう？」

「水」

「この水はただのみずじゃないんです。海水と似ている」

「膜に包まれている」

「お腹」

「皮膚や筋肉などに包まれている」

子どもたちの姿を見ていると、学びの基礎・土台になっているものは、やはり日々の生活なんだと思います。遊びや体験して強く印象に残ったこと、面白かったことや驚いたことなどは、記憶に残るものです。それが授業にも活かされていきます。

今は厳しい労働実態の中で、家族でいろいろ語り合う時間を確保することなど、至難の業というご家庭も少なくないものと想像します。ちょっとした時間でもいいのです。一日生活して印象に残ったことなど、自然に語り合えるようにすることです。今回の胎児の写真についての発言のように、あるとき母親が語ってくれたことが、授業の場面で思い出されるのです。それが学びを豊かにしていくことに繋がるのです。

赤ちゃんは大事に包まれているんだ

子どもたちは、写真の様子や今の話し合いから、母親のお腹の中で、赤ちゃんが何重にも包まれ、大事にされ、元気に生きられるようになっていることを知ることができたのです。もちろん、この写真の赤ちゃんだけでなく、自分もそのように守られてきたことを知って、自然に母親の存在の大きさを実感したのです。

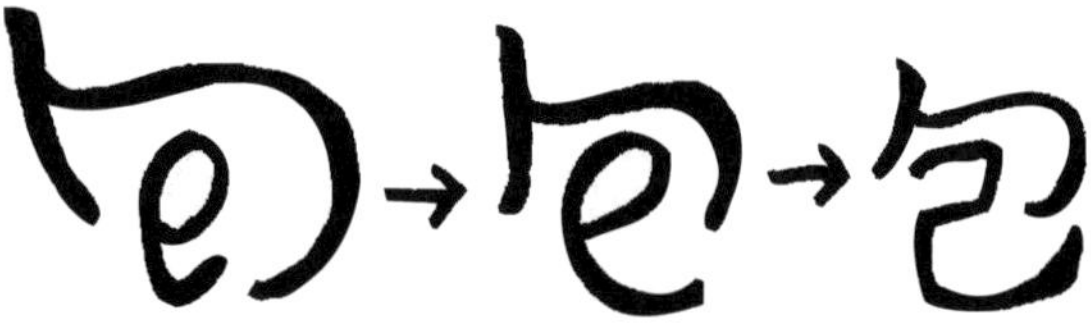

「そうです。だから包むという漢字は、このようにして（上の図）生まれてきたのです」

「包という漢字は、どんなふうに使われますか？」

「プレゼントを紙で包む」

「かんだガムを紙に包む」

「これはなんと言いますか？」

「風呂敷」

「風呂敷って便利なんです。ものが隠れるように、こんなふうにすることを包むと言います」

「こういうふうにすることをなんと言うの？」

「くるむ」

「《くるむ》と《つつむ》では、ちょっと感じが違うでしょ。《くるむ》ってどういうふうにすることと？」

「くるくる巻いていくこと」

「くるむというのは、くるくる巻いていく感じのことだね」

「買い物（プレゼントなど）をしたときに、包んでもらう紙のことをなんと言いますか」

「包装紙」

「したがって『包』という漢字はホウとも読みます。それじゃ、成り立ちと音読み・訓読みをノートに写してください」

「写し終えたかな。包むという漢字を使って、言葉や短い文を作ってみてください」

「ふろしきに包（つつ）む」

「包帯で包（くる）む」

「放送」

「Aくん、いいこと言ってくれたね。放送のホウは、包ではなく、この放です。Aくんが学校に来てくれてよかったね」

「プレゼントを包む」

「大砲のホウは、包ではなく包むに石がついた砲です。なぜ石がつくのか調べてみてください」

「包装する」

「包丁」

「さあ、これをノートに書いてください」

みんなが書き終わったので、板書した言葉や短文をみんなで声を出して読みました。

授業の最後に、「つつむ」という言葉が素敵に使われている詩を、子どもたちに紹介しました。

詩「水のこころ」を子どもたちと感じる

「私が、これから黒板に詩を書きます。それを見てください」

水のこころ(6)

高田　敏子

水は　つかめません
水は　すくうのです
指をぴったりつけて
そおっと　大切に――

水は　つかめません
水は　つつむのです
二つの手の中に
そおっと　大切に――

水のこころ　も
人のこころ　も

この詩を板書し始めると、子どもたちはどんな詩なのか興味津々といった表情で黒板を見つめています。私がときどき「この題は『水の……』なんでしょう?」「指をどうするんだろう?」「『そおっと　大切に』の後に線を書いているのは、なぜなんでしょう?」などと言いながら詩を書いていきました。子どもたちからその都度、反応が返ってきます。「つつむ」という言葉がこんなに素敵に使われていることを子どもたちに紹介したかったのです。したがって、一行一行表現について深めることはしませんでした。

子どもたちはこの詩を読むことで、「つつむ」という言葉の《やわらかさ》や《やさしさ》を豊かに感じとってくれたように思われます。

詩は、いつものように「消去法」で覚えていきました。「消去法」という呼び方は、私が勝手に名付けたものです。何度も何度も書いたり、言葉をくり返し暗唱するよりも、はるかに早く確実に暗唱できるようになるのです。「消していくことで」その効果が生まれるのです。これは詩の暗唱の画期的な方法だと密かに自負している方法です。

1回目は、そのままみんなで読んでいきます。2回目からは、くり返し出てくる言葉や憶えやすい表現を消して暗唱していきます。消す度に、「えー」という声があがり、消す量が増えるにしたがって、ますます集中が高まり、意欲的になっていきます。そして最後には、行があったことを示す○印だけとなります。子どもたちは、たちまち詩を暗唱してしまいます。その偉力に驚くばかりです。一度この方法を試してみてください。

◎授業の感想

授業を参観された方は、次のような感想を語ってくださいました。

●「このように、ひとつの漢字をじっくり豊かに教えてもらっていたら、もっと漢字が好きになっていたと思います」

●「みんなが思ったことをどんどん発表しているので、すごく驚きました」

●「国語の教科か何かがわからなくなるほどイメージが広がってきて、とても楽しい授業でした」

子どもたちは、こんな感想を記しています。

●「私は『包む』という漢字の成り立ちには、なんだか赤ちゃんが関係しているんだなと思いました。成り立ちでは 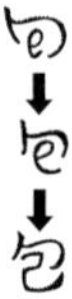 となるから、まるでお母さんのおなかから、赤ちゃんが出ていくかんじだなと思いました。赤ちゃんをやさしく抱くかんじから、『包む』という言葉になったのかなと思いました。」

●「包むという漢字は、が赤ちゃんで、がお母さんのおなかという意味ということを教えてもらいました。赤ちゃんはおなかに包まれ、たまごに（膜に）包まれ、水に包まれ、と大事にあつかわれています。わたしははじめ、赤ちゃんがたまご（膜）と水に包まれているとは思いませんでした。」

●「ぼくは、包むという漢字はすごいと思いました。また、すごい漢字をならいたいです。」

●「私は『包む』という漢字がにんしんしている女の人の成り立ちとは知らなくって、びっくりしました。それでまだおなかの中にいる赤ちゃんの写真を見て、『私もこうなっていたんだ』と思いました。」

●「私、赤ちゃんって、水のベールで包まれているなんて知らなくて、生まれてきたとき、あのぬるぬるしたやつなんだろうと思ったら、水だったので、びっくりしました。赤ちゃんを守ってるってことが、よーくわかりました。」

●「私はなんで包むという漢字の成り立ちに、赤ちゃんが関係があるの？　とおもいました。でも先生が写真を見せてくれて、包むという成り立ちがわかりました。成り立ちから学習すると、わからないことや、いろいろなことがわかるようになりました。」

●「『包む』の成り立ちで、お母さんがだいじに赤ちゃんを守っているんだな、とかんじた。赤ちゃんの写真を見ると、さいしょ私は『ぞくっ』とかんじた。最初はなんだかわからなかったけど、だんだん聞いていくと、こんなに赤ちゃんががんばって生きているんだなーと思いました。」

●「私は最初〝包む〟という漢字は、そんなに大切な漢字だとは思いませんでした。私は四年生から漢字の成り立ちを深く勉強したので、『べつに、成り立ちなんか、知らなくてもいいや』と思っていました。でも二学期がはじまってしばらくすると、〝包む〟という漢字を勉強しました。〝包む〟というのは、母親がおなかの中で、大事に育てているという意味でした。

私は、赤ちゃん（子ども）にとって、母親はぜったいいなければいけないそんざいだと思いました。」

一瞬、教室が静まり返った

この授業のときには、当時朝日新聞企画報道室の記者・清水弟氏が取材を兼ねて授業を参観されました。このときのことは、朝日新聞夕刊に、大きく（半面近くにわたって）取り上げられました。「漢字の未来の物語」(7)の第1回目の掲載でした。「一瞬、教室が静まり返った。黒板に母親の胎内の赤ちゃんの写真『包』という字の教材だった。」という見出しで、次のように紹介されました。

漢字が書けなくなったと思いませんか。漢字は読めればいい、書くのはワープロ、パソコンがあるという時代に、小学校では漢字をどう教えているのだろう。

東京都清瀬市の清瀬第五小学校で、四年一組の授業を見せてもらった。担任の今泉博先生は、漢字のユニークな教え方で知られている。

黒板に小さな丸が描かれた。

「これは何だと思いますか?」

三十人の子供たちの手が挙がる。米粒、タネ、人間の頭、豆。「人間の頭です」と答えて、その頭から右下に曲がった線を書いた。「これは体」。もう一本、左側にふくれた線は「おなか」で、二本の線の間に小さな丸と棒が書き加えられた。魚の骨という声も出たが、これは「赤ちゃん」。

「実は赤ちゃんができておなかが大きくなった女の人を表しています」

先生は絵を少しずつ整えて「包」という漢字にした。丸めた写真を取り出し黒板に張る。ゆっくり上から開きながら「何が見えたかな」。子供たちはどきどきして黒板を見つめる。

赤ちゃんの頭が見え、手が現れた。体を包んでいるのは水らしい。水の中でどうやって息をしているのだろう。

おへそだ、へその緒から栄養が送られ、空気(酸素)は血液で運ばれる。写真は羊水に浮かぶ胎児だった。教室中がしーんとした。科学雑誌で見つけた写真を拡大コピーしたのだ。

「お母さんの水に包まれている」

先生はさりげなく「包む」の用例を示した。その水には海水に似た成分があることを説明してから、子供たちみんなが「包」をそら書きした。大きくゆっくりと筆順も覚えるように。なんとも強烈な授業だ。美しい胎児の写真で、母親の愛情や生命の尊厳が漢字に結晶したかのようだ。

小学校では習わないが、「くるむ」とも読む。音読みは「ホウ」、包装紙などと使う。「じゃあ練習してください」。子供たちはノートに写した。

習いたての漢字を使った短文作りでまた手が挙がる。ふろしきに包む、包帯で包む、包丁。「放送室の放送」と答えた子どもに、先生は「それは違うけれど、そういう間違いはとても大事だね。おかげでみんなが気をつけられる。どうもありがとう」とほめた。

仕上げは、「水のこころ」という高田敏子の詩だった。途中に「水はつつむのです」とあって全部で九行。先生が黒板に書き、みんなで声を合わせて読んだ。五回読むと、いくつかの言葉が消された。また読む。さらに消して読む。行頭の一文字だけ残して消えると「げえーっ」と声が出たが、みんなはちゃんと暗唱できた。

この日習った漢字は「包」だけだった。今泉先生は「漢字を学ぶことで様々な世界と出会える。子供って、ほんのちょっとした部分から物事を的確にとらえる。想像力をかき立てれば、豊かに学んでいく。子供たちの輝きからいろんな可能性が見えてくる。どうすれば楽しい授業ができるか、教室は私にとって大学院ですね」

それにしても、あんなに濃密な教え方でいくつ教えられるのだろう。

この新聞を教室に掲示しておくと、子どもたちは自分たちの学習の様子を伝えている記事だけに、うれしそうに何度も見ていました。

清水さんが書いてくださったように、学ぶ漢字の量が多いだけに、授業ですべての漢字の成り立ちを扱うのは、不可能です。したがって、ときどき授業で漢字の世界の面白さを学べるようにしながら、子どもたちが自主的に成り立ちを調べ、進んで漢字を学べるように取り組みました。

【2章の参考・引用文献】

（1）新村　出編『広辞苑 第六版』岩波書店（2008年）2698ページ

（2）今泉　博『集中が生まれる授業』学陽書房（2002年）13〜28ページ

（3）板倉聖宣「授業書〈トルク（モーメント）と重心〉とその解説」『科学教育研究No.3』仮説実験授業研究会・編集（1971年）

（4）今泉　博『集中が生まれる授業』学陽書房（2002年）72〜87ページ

（5）今泉　博・監修 関口シュン・絵『漢字　日本語のパワー再発見』草土文化（2001年）

（6）萩原昌好編『日本語を味わう名詩入門13 高田敏子』あすなろ書房（六刷、２０２２）84〜85ページ

（7）清水　弟「漢字の未来の物語」朝日新聞〈夕刊〉（２０００年9月21日付）

3章 想像・推理と対話・討論で《見えない世界》が見えてくる

—どんなに遠い世界でも、過去の世界でも、ミクロの世界でも—

1 想像・推理することで集中が生まれる

授業を創る上で大事なことは何かと問われたら、私はまず想像力と答えます。教材に対して想像力が働くことで、自然に集中が生まれるからです。集中がなければ学習の効果が期待できないことは、教師であれば誰もがよく知っています。だから教師は友だちとおしゃべりなどして集中しない子に対して、「おしゃべりなどしないで集中して勉強しなさい」と注意するのです。言われた子は、一時的には「集中」しても、また元に戻ってしまいます。教師はなんとか「集中」させようとして、子どもたちに話し合わせ、学級の決まり・約束を作るような指導をすることもあります。みんなで決めたのだからと、守るように子どもたちに迫ります。なかには、帰りの会や学級会などで、授業に集中しない子に対して、周りの子たちから批判的な意見を出させようとする教師もいます。

それでもうまくはいかない場合がほとんどです。なぜなら、集中は「させるもの」ではなく「生まれるもの」だからです。外からの力で「集中」させようとしても、これらの手法は一時的なものにならざるを得ません。ほんとうの意味での、内面からの自然な集中は、授業に興味が生まれてはじめて可能になります。それだけに、いくら教師が厳しく注意したり怒鳴ったりしても、改善はほとんど望めません。子どもたちは、好き好んでわざわざ厳しく注意されるようなことをしているわけではないのです。自分でももっと真剣に授業に向かわなくてはと、多くの子どもたちは思っているのです。

そのためには、子どもたちが興味を持てるような教材でなくてはなりません。教材と出合ったときから、知的好奇心が湧き、深く知りたくなるような教材が求められます。そういう教材になり得る素材は、教科書だけに限定しなければ、この世界にはどっさり存在しています。その素材に少し手を加えれば、教材として使用できるようになります。授業にはすぐれた教材が求められます。よくない教材であれば、子どもたちがわくわくしながら、目を輝かせ集中して学ぶような授業は困難です。したがって集中を問題にするのであれば、教材の質と出合わせ方が問われることになります。

事実と想像・推理の関係を見つけるまでが…

集中が生まれるかどうかは、子どもたちの想像や推理と密接に関わっています。それだけに教師は、想像力や推理力がどのようなときに発揮されるものなのかを、理解しておくことは欠かせません。

私が想像・推理のことを意識するようになったきっかけは、小学校の高学年を担当していた頃の歴史の授業のときです。何万年も何千年も何百年前の過去の歴史は、教師が教えなければ、子どもたちは理解できないものと思っていたのです。そこで、子どもたちがよく解る歴史の授業をしようと考え、とにかく歴史関係の本などを読み漁り、資料を作成して授業に臨んだのでした。ところが資料などをたくさん用意すればするほど、授業が不発に終わってしまうのです。

そんなことがしばらく続いたあるときに、ふと想像と事実との関係について気づかされたのです。《事実が多くなると、想像・推理は萎《しぼ》んでいく。事実が少ないとき、想像・推理は膨《ふく》らむ。》

この原理的なことに気づくまでに、ずいぶん時間がかかりました。いったい、私が力を注いできたのはなんであったのか？　願いはどうであれ、私が努力してきたことは、結果的には授業で不可欠な想像力を萎ませていたことになっていたのです。これでは子どもたちが、歴史の世界に興味を持って、自ら意欲的に学び出すなどということは難しいのです。

実践上の困難がひとつ解き明かされることで、授業は大きく変わります。私にとって、想像と事実の関係について明確に捉えられたことは画期的なことであったのです。想像・推理が働くように意識して授業をしてみると、わずかの事実を提示するだけで、子どもたちが興味を持って参加するようになるのです。

2　想像・推理と対話・討論で変わる子どもたち　歴史の授業での実践例

こんな大帝国を築いのはどこの国か

鎌倉時代の「元寇」[1]について学習したときのことです。過去の遠い時代の出来事であっても、一定の事実さえ提示すれば、教師が直接教えなくてもいいのです。子どもたちが想像・推理、対話・討論を積み重ねることで、歴史の真実に迫っていくことができるからです。

黒板に世界地図の略図を白いチョークで書き始めます。子どもたちは、なにを書くのだろうと、興味津々です。子どもたちは、またいつものように何か新しいことを学べるという期待で心がはずみます。子どもたちの目は黒板に注がれます。

その略図に、さらにアジアからヨーロッパにまたがるモンゴル大帝国の境界線を、赤いチョー

【モンゴル帝国略図】

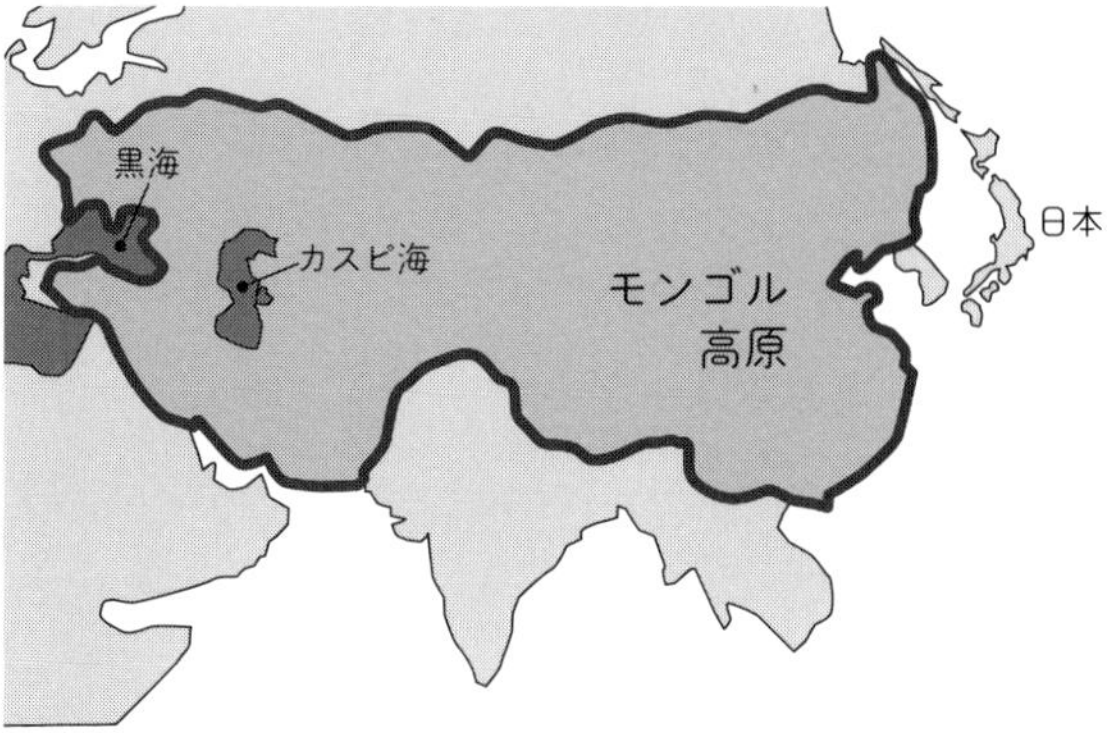

クで記しました。

「きょう学習するのは、13世紀、今から700年以上前のことです。この赤いチョークの線は何を表しているのだろう？」と質問するところから授業を開始。すると子どもたちは「国の境目」であることをすぐ見つけました。「こんなに広い国って今までに見たこともないね。いったいどうしてこんなに大きな国ができたのだろう」と、さらに問題を投げかけると、子どもたちからは、「人口が増えたから」という意見が出されました。これに対して「人口が増えることが、国が大きくなることとは結びつかない」などの反論が返ってきます。また「みんなで、ひとつの国にしようとした」という発言も出ますが、これに対しても、「わざわざ大きな国にする理由があったなどとは考えられない」などの批判的な意見が述べられます。議論する中で、子どもたちはどこかの国が「侵略して領土を広げた」ことを見抜いていきました。

……中略……

「ところで、アジアからヨーロッパにかけて、こんなに多くの国を侵略支配して大帝国を築いた国は、どこだったのか」が問題になりました。子どもたちからは、「中国」「戦いがうまかった国」「武器をいっぱい持っていた国」……「モンゴル」。子どもたちは、馬などを使って戦わなければ、こんなに広大な土地を侵略し支配できない。だから「遊牧民族であるモンゴルにちがいない」と推理・想像します。

国王フビライの手紙はどんな内容だったか

「そう今みんなが予想したように、13世紀初めにモンゴル民族を統一したジンギスカン（チンギスハン）から始まって、五代目フビライに至るまで、侵略をくり返し、アジアからヨーロッパにまたがる大帝国を築いたのです。都を北京に移し、国号を元とあらためました。ところで、今述べた元の国王フビライから鎌倉幕府に手紙が届いたのです。さて、どんな手紙だったでしょうか？」

子どもたちからは、次のような意見が出されました。

「私たちの国と仲良くしようということだと思う」

「モンゴルにぜひ来てください」

「領土を一緒に拡大しようということではないか」

「日本を侵略する」
「私たちの国をわけてあげよう」
「日本に行ってもいいかどうかを聞いているのでは」
「日本の国をさし出せ、ことわったら容赦なく攻める」

これらの意見をもとに議論しました。最初に「仲良くしよう」とか、「国をわけてあげよう」というのはおかしい、という意見が多数を占めます。なぜなら、フビライのねらいは日本を侵略・支配することにあるからと言うのです。でも、それに対して、「目的は侵略することにあるかもしれないけれど、最初からそう書くと見抜かれてしまうから、仲良くしようということも書いてあると思う」という意見が出されます。

子どもたちの意見は、「仲良くしよう」ということ、もしそうしなければ「攻めてでも支配する」ということではないかとなりました。ここまで議論した後、私がフビライの手紙を板書し始めます。子どもたちは、実際はどんな内容だったのか、早く知りたいのです。子どもたちの目は黒板に集中します。

「モンゴルは天下を支配し、高麗も支配した。日本ともお互いに使いを出し合い、仲良くしよう。それがいやなら武力でせめる。日本の王よ、よく考えよ。」（一部をやさしくしたもの。一九九七年版『六年社会科資料集』日本標準による）

子どもたちからは「やっぱり」……などの声があがります。何百年も前の時代のことを推理・

想像しながら、歴史の真実に迫ることが、子どもたちにとって楽しいことなのです。

授業の最初の段階（推理、想像、討論の段階）では、教科書も資料も使わない。いくつかの事実を私が提供するだけです。実際はどうだったか検証する段階で、教科書や資料などを使用することが多いのです。

子どもたちは、共同で歴史の真実を解き明かしていくことが喜びなのです。それで、次の時間どんな学習をするのか、子どもたちは待ち遠しくなるのです。

（『現代の教育 岩波講座3 授業と学習の転換』佐伯 胖・他編 岩波書店、執筆担当箇所を一部改変して紹介）


現場では、教材研究の時間が十分とれないということもあり、歴史の授業の大半が「調べ学習」に注がれ、そこでわかったことを歴史新聞としてまとめるというような状況も見られます。学んだことをまとめるということ自体は、大事なことです。しかし、それでは考える歴史学習にはならないのではないでしょうか。なによりも歴史を学ぶ面白さを実感することは、困難ではないかと思われます。

憶えること中心の授業から、推理・想像する授業に転換することで、歴史の授業が子どもたちにとっても魅力的な学習に変わっていきます。

あの「いじめ」あり、「暴力」あり、私に対しても「うるせー」「てめー」などと暴言を吐き、「荒れ」ていて授業が成立しなかった子たちが、歴史の授業を楽しみに、意欲的に参加するようになったのです。担任した4月の頃は、授業中に机などに脚をのせ、ふんぞり返っていたAくんなども、驚くほどしっかりした態度と言葉づかいで、学習するようになったのでした。運動会の練習で急に歴史の授業ができなくなってしまったときなど、「歴史の学習をしたいのに、なんで急に変更してしまうんですか」「きょうできないのであれば、その分いつしてくれるのですか」と、私に抗議・質問にくる程でした。

授業において、教育において、いかに想像・推理、対話・討論が重要な役割を担っているかを実感した次第です。

3　人間の発達を促す想像力

想像力は人間の知的活動の不可欠の条件

ヴィゴツキーは、『新訳版 子どもの想像力と創造[2]』の10ページで、想像についてこう記しています。

「世間でふつうに想像とか空想として考えられているものは、科学的に意味しているものと少しちがっています。日常的な習慣として使われる想像とか空想は、非現実的なもの、現実にそぐわないもの、したがって実際的には重要な意味を何も持っていないものすべてをさしています。でも本当は、想像力があらゆる創造活動の基礎として文化生活のありとあらゆる面にいつも姿を現し、芸術的な創造、科学的な創造、技術的な創造を可能にしているのです。この意味において私たちの回り（ママ：筆者）にあるもの、人間の手によって作られたものはすべて例外なく、つまり自然の世界とはちがう文化の世界すべては、人間の想像力の産物であり、人間の想像力による創造の産物なのです」

想像や空想などと言うと、現実にはあり得ないようなもの、実際には重要な意味などないようなものを指しているように捉えられています。しかし、ヴィゴツキーは、そうではないのだと述べています。文化生活のあらゆる面はもちろん、芸術や科学や技術等において創造を可能にしているのは、人間の想像力なのだと強調するのです。

学校教育で言えば、決して国語（とくに文学や読書）や図工、音楽などという特定の教科ではなく、算数でも理科でも社会でも、あらゆる教科での学びにおいて、想像力は欠かせないということになります。私自身、ある時期からあらゆる教科で想像することと推理することの重要性を実感してきました。このことをどれだけ教師が捉えられるかどうかで、実践は大きく変わっていきます。別の箇所でも、ヴィゴツキーは、次のように書いています。

「想像力は人間の行動や発達においてきわめて重要な機能を獲得しており、それは人間の経験を拡大する手段となります。なぜならば、人間は自分が見ていないものを想像することができますし、自分の直接的な個人的経験にはないことも他人の話や記述によって思い描くことができます。また、自分自身の経験の狭い範囲や狭い境界内にとどまることなく、他人による歴史的あるいは社会的経験を想像力を使って自分のものとしながら限りなく歩んでいくことができるからです。…（中略）…想像力は、人間のほとんどすべての知的活動において完全に不可欠の条件なのです。[3]」

ここでヴィゴツキーは、「想像力は、人間のほとんどすべての知的活動において完全に不可欠の条件なのです」と、実に明確に述べています。想像力は知的活動の条件ということは、想像力がなければ、知的活動は不可能であるということです。それほど想像力の果たしている役割は、とてつもなく大きな意味をもっているということです。

またヴィゴツキーは、この引用文章の最初の方で、想像力は人間の経験を拡大するためのなくてはならない手段だと強調しています。自分が直接見ていないものでも、自分が体験したことのないことでも、誰かが語っていることや書いていることから想像することができるのです。だから地球上全体からすれば、わずか一点とも言えるような極々狭い地域で生活しながらも、自分の経験の狭い範囲や境界内にとどまらずに、人々の歴史的あるいは社会的な経験を想像力によって体験し、学び、成長発達を遂げていけるのだということを強調しています。教育という営みを考える上で重要な指摘です。

教育現場では、最近の子どもたちについて体験が少なくて困るというような声をよく耳にすることがあります。もちろん、できれば体験が少ないより多いことが望まれます。しかし、学級には20人なり、30人なりの子どもたちが、さまざまな体験をしています。なんでも自由に言えるクラスであれば、ヴィゴツキーが強調するように、お互いの経験・体験を想像力でかなり共有し合うことができます。したがって体験・経験の違いをそれほど嘆く必要はないのです。

想像力は材料不足のところで働く

鷲田清一は『想像のレッスン』[4]の中で、想像について、次のように書いています。

「想像力というと、よく論理的な思考と対比される。空想や夢想はそうなのだろうが、想像力はちがう。眼の前にあるものを足がかりとして、眼の前に現れていない出来事や過程をのびやかに想像すること、あるいはそれを論理的に問いつめてゆくこと。これは、科学や宗教や芸術、あるいは政治や倫理や（他人への）思いやり、それらのいずれにおいても根のところで働いているはずの、わたしたちの力だ。それがいまひどく萎縮している。」（33ページ）

想像力は「眼の前にあるものを足がかりとして、眼の前に現れていない出来事や過程をのびやかに想像すること、あるいはそれを論理的に問いつめてゆくこと」と捉えています。とくに物事を論理的に問いつめていく上でも欠かせないと認識されているところが新鮮に感じられました。科学や芸術や文化一般だけでなく人間関係等、そのいずれにおいても欠かせない力だと強調されています。この考え方はヴィゴツキーと共通している面があります。

「想像力というと、まずはファンタジーとかファンシー、つまりは空想の物語が思いうかぶ。が、想像力とはいまここにないものをおもうことだとすると、それは人間のもっとも基本的な能力であるといえる。未来への希望や期待も、過去の記憶も、まだないもの、もうないものを現在にたぐり寄せるという意味では、想像のはたらきである。

このはたらきが、たとえば科学を生みだす。科学的探求とは、物の衝突や落下、樹が芽をふきやがて枯れる様子、気象の変化、物の組成など、眼に見える物や出来事の背後に、眼には見えないある法則や構造を読みとろうとするいとなみだからだ。与えられたもの、眼に見えるもので満足していたら、科学は始まらない。」（34ページ）

眼に見えるものや出来事の背後に、眼には見えないある法則や構造を読みとるには、想像力は不可欠だと述べています。そのためにも、授業の中で、子どもたちの想像力が発揮されるように工夫していく必要があります。

鷲田は、「想像は材料不足のところではたらきだす」（44ページ）と強調します[5]。この考え方は、私が歴史の授業で壁に直面し、《事実が多くなると、想像・推理は萎んでいく。事実が少ないとき、想像・推理は膨らむ》という原理的な気づきと、ほとんど同じ認識です。この原理は、授業で大いに役立ちます。この重要性を実感することで、あらゆる教科の授業づくりが変わっていきました。

鷲田は、「裂け目や断層や傷や孔のまわりで、ひとは夢みたり考えたりする」というジルベール・ラスコーの言葉を紹介し、想像が何を手がかりにうごめき出すかに触れています。自分で考えてみても、空白のあるところ、断絶のあるところ、見えないところ、とてつもなく離れているところ、遠い過去のことなどには想像力が働くことはよく解ります。

4　想像・推理を駆使した学びの実践例　イタイイタイ病の学習を想像・推理で

1枚の写真から読み取る

これから紹介する5年生の社会科の授業[6]も、推理・想像によって課題に迫り、本質にたどり着いた授業です。この授業から、想像・推理の果たす役割の重要性を、知ってもらえるものと思われます。この実践は、当時、富山新聞の記者だった八田清信《はったせいしん》氏が書かれた『死の川とたたかう――イタイイタイ病を追って』（偕成社[7]）に出合うことで感動し、授業化したものです。

チャイムが鳴ると同時に、1枚の写真を黒板に貼ったのです。もちろん、日直等の合図で、「これから何時間目の授業を始めます」なども、最初からきょうの学習の課題などを板書することもしません。かえって想像・推理を妨げてしまうこともあるからです。タイトルは後で書き入れても、全く問題はないのです。むしろこの授業でのタイトルは、授業が進んで、子どもたちが何を学ぶのかが鮮明に意識できた段階で書く方が自然です。

黒板に掲示したのは、おばあさんの写真です。眠っているわけではないが目を閉じ、顔を歪めているのです。その写真を見て、子どもたちの中には、ケラケラ笑い出した子どもたちもいました。子どもたちにとっては、見たこともないような、笑いが起きても不思議ではないような写真です。ここで教師が笑ったことを問題にする必要など全くありません。むしろ授業が進むにつれて、その写真の老婆についての子どもたちの感情が、どう変化していくかの方が重要です。したがって笑ったからといって、全く咎める必要はありません。

子どもたちはその写真をじいっと見つめています。そこから捉えた事実や感じから、「このおばあさんは、どうしてこんな表情をしているのか?」を、自然に想像・推理し始めます。じっくり写真を見る中で、子どもたちの表情がみるみる変わっていくのです。にやにやしたり、笑っている子など、もう誰もいません。

「この写真を見て、どんなことを感じたかな?」と聞いてみると、子どもたちは次々発言し出したのです。

「目が見えなくなったんじゃないか」
「悲しい感じがする」
「苦しそう」

「なんかの病気にかかっているんじゃないか」

「原爆の被害にあった人」

「年寄り」

「何かの事件にまきこまれた」

「水や食べ物などで体がおかしくなったのではないか」

「公害なんかで苦しんでいる感じ」

「助けを求めているように思う」

「みんなが言ってくれたように、なにか苦しそうで、助けを求めているような感じがしますね。実は、この人たちが住んでいたところは、ここなんです。どこの地域でしょう？」と、その辺りの略図を板書しました。

すると子どもたちから、「海がどっちですか」という質問が出されます。海の方に水色のチョークで斜線を書くと、かなりの子がすぐ気づき、「石川県かな」「あっそうだ、富山県だ」という声があがります。「そうです。富山県です」、地図の略図からだけでも、想像・推理すれば、容易にどこの地域のことなのかを見抜いていくのです。

もし自分が新聞記者だったら

「萩野昇さんというお医者さんのもとには、医学辞典にも載っていないような奇病の患者がたくさん来ていました。萩野さんが診察のとき、ちょっとさわっただけでも『いたいいたい、いたいいたい……』と言って苦しむんです。それもそのはずです。人によっては、20カ所以上も骨折している患者もいたのです。咳をしただけでも、骨が折れるという患者もいたほどです。（後略）」と、話してあげると、子どもたちは、「なぜ、あのおばあさんは、あんな表情をしているのか？」、その理由がここではじめて解るのです。

萩野医師が、この病気のことを知り合いの新聞記者に話します。するとその富山新聞の八田記者はぜひ新聞に書きたいと言って、萩野医師に案内されて、ひとりの患者の家に行ってみたのです。すると、その患者さんは、窓もなくじめじめした奥の部屋で、ひとりで寝ていたのでした。

「病人なのに、どうしてそんな部屋に寝かせられていたのだろう？」と聞いてみると、「そんな病気の人がいることを知られたくなかった」「もう治らない病気だから」という声が返ってきました。

八田記者は、「いたいいたい……」と苦しんでいた、あのおばあさんの姿と悲鳴が強烈に心に残ったのか、「ほんとうに驚きました。あのようにいたましい病気が、この世にあるなんて考えてもみませんでした。できるだけ早く新聞に報道して、たくさんの人びとに知っていただき、協力してもらわなければなりません。」

八田記者が、いざ新聞に記事を載せようとして困ったことが、この奇病になんという名前をつけたらよいかということです。子どもたちに、もしみんなが新聞記者だったら、「なんという名前をつけるかな?」と質問すると、Hくんが元気に手を挙げて「ぼくだったら、いたいいたい病という名前にします」と発言。周りの子どもたちからは、あまりにも患者の様子にぴったりの病名だったため、笑いが起きたのでした。

「Hくん、さすがだね、実際、新聞には《いたいいたい病》という名前で記事を書いたんです。それ以来、この病気は《イタイイタイ病》として日本だけでなく、世界にも知られるようになったのです。Hくん、あなたは新聞記者になる素質があるね」とほめると、大変うれしそうでした。

患者が集中している場所に何があるか

萩野医師は、この病気が過労によるものなのか、栄養失調によるものなのか、あるいは細菌によるものなのか、実際に調査したり、動物実験をしたりしても、原因らしきものをつかめない。ところが、あるとき萩野医師が患者の住所を調べて、地図上に点を打ってみたのだったと言いながら、富山県から石川県あたりの地図(略図を板書)に、萩野医師と同じような感じで点を打っていきました。そして、「患者が住んでいるところの点が集まっている所には何があるのだろう？」と聞いてみました。子どもたちからは口々に「川」「川にちがいない」という答え。富山湾に注いでいるこの川は、なんという名前の川か地図を開いて調べてみてくださいと言うと、子どもたちはすぐに見つけ、「神通川《じんづうがわ》だ」「神の通る川だ。きっと神が通るほどきれいな川なんだ」という声があがります。

萩野医師は、この川に沿って患者が集中して発生している事実から、どんなことを考えたのだろうと問いかけると、子どもたちからは、

「きっとこの川の水が《イタイイタイ病》の原因じゃないかと考えた」

「この川の水を飲んで病気になった」

「工場の廃液が流れて、その毒が魚に入り、それを人間が食べて病気になった」

私が「そうです。萩野医師も、このイタイイタイ病の原因は、きっとこの神通川の水に含まれている物質によるものにちがいないと考えたのです」と言いながら、この患者がたくさん出ている婦中町《ふちゅうまち》などでは、昔から神通川の水を飲料水にしたり、米作りに使ったりしていたことを話してあげました。事実、水を調べてみると、亜鉛や鉛やカドミウムという人体に有害な物質があることが判明したのでした。

有害なものを出す可能性のある場所は？

ところで人間に有害なものを流すような所が、川の近くにあるだろうか？ もう一度地図帳を出して調べてみてくださいと話しました。神通川をさかのぼっていくと、高原川《たかはらがわ》と宮川《みやがわ》の二つの川に分かれます。

子どもたちが川に沿った周辺に、有害な物質を出すような可能性のある所はないか、熱心に調べていきました。すると、Tくんが「先生、高原川の方の近くに、なにかハンマーのような印がある」と言い出したのです。そこでハンマーのような記号は何を表しているのか、地図帳の最初の方に載っている地図記号の説明のページで確認しました。その記号は鉱山であることがわかったのです。鉱山名が神岡鉱山《かみおかこうざん》であることも突き止めました。そこの鉱山で掘り出しているものが、地図上に記されていることも見つけたのです。確かに神岡鉱山の所には、亜鉛、鉛

【川の略図】

と書いてあります。当時水博士と言われていた岡山大学の小林純教授にお願いして神通川の水を調べてもらうことで、亜鉛や鉛の他に、カドミウムというものが含まれていることも明らかになったのです。神岡鉱山で亜鉛や鉛を採り出すときに出てくるカドミウムが、イタイイタイ病の原因であることが濃厚になってきたのです。

どうなったら神岡鉱山から流れたと言えるのか？

そこで子どもたちに、「でもそのカドミウムが、神岡鉱山から流れ出したものかどうかは、どういうことで判断するのだろう？」と聞いてみました。

「だんだん神岡鉱山の方に近づくにしたがって、カドミウムの量が増えていくから」

「神岡鉱山から流れ出ている水に、一番カドミウムが多く含まれていたから」

「神岡鉱山より上流ではどうだろう？」

「カドミウムは含まれていなかったと思います」

「もう一方の神岡鉱山がない方の川、宮川の方も調べてみたのです。その結果はどうだったと思いますか」

「カドミウムは出てこなかった」

「事実、そうだったのです。でも、それだけでは、イタイイタイ病は神岡鉱山の鉱毒（カドミウム）によるとは、まだ決めつけられないよね。どうなったとき、はっきりそうだと言えるだろうか」

「イタイイタイ病の患者の体の中から、カドミウムが見つかったとき」

「そうだね。事実イタイイタイ病で亡くなった人の骨を調べてみたら、普通の人の100倍ものカドミウムが発見されたのでした。これでイタイイタイ病の原因は、神岡鉱山から流れ出た鉱毒、カドミウムということが明らかになったのです。最初、萩野医師が神岡鉱山の鉱毒がイタイイタイ病の原因であると発表したときには、神岡鉱山の会社側はもちろんのこと、多くの学者や研究者も信じませんでしたが、ついに誰もが認めざるを得なくなったのです。イタイイタイ病を富山新聞が報道してから、6年も経ってからのことでした」

事前に今度の授業では公害の学習を予告したり、課題を出したり、調べさせたりしているのでは全くありません。子どもたちは、イタイイタイ病の学習をするなどということは、全く知らなかったのです。当日使ったものは、地図帳だけです。それでも子どもたちは、一定の事実を提供されるだけで、想像・推理し、その状況や物事の本質を的確に捉えていきました。

萩野医師を尊敬してしまう、なぜなら…

「ぼくは、このイタイイタイ病は、とてもいたい病気なんだと思った。最初一枚の写真をみたときみんなわらっていたけど、ぼくはこれはわざとこんな顔をしているんではないんだなあと思った。なんだか助けを求めているような感じで、とても悲しそうな顔だった。

その次の写真を見て、誰かベッドで寝ているのが目についた。ぼくはそのときに、地しんのことを思い出して、こうゆう動けない人もいたなあと思った。だけどこの人たちは、地しんかなにかでケガしてるんじゃなくて、病気にかかっていると聞かされて、ぼくはそうとうひどい病気なんだなあと思った。なんとこの病気は、ふつうの病気ではなく、なんと少しでもさわると、手の骨が折れたり、足の骨が折れたりする病気だと聞かされて、とてもびっくりした。それも一本や二本ではなく、何十本も折れる病気だと知った。

そのとき、一人の萩野さんという人がいて、ぼくはその人をそんけいしたのは、新聞にその病気を出して、ほかのいしゃから『そんな病気はない』とか、いろんなことを言われても、それでも『ぜったいこの病気の原因を知りたい』という気持ちがあって、この人は、いろんなことを調べたんだと思った。この人は栄養失調でもないし、近くにある海の魚でもないし、どんどん調べていった。きっとこの人は、いやいや調べているんじゃないと思った。なぜなら、この人は『ぜったいにつきとめてやる』という気持ちがあったからこそ、いっしょうけんめい調べたと思った。でも少しでも『いやだなあ』という気持ちがあると、この原因は今でもしらべられなかったと思う。それでこの人は、やっとこの原因をつかめた。

それは川に関係することで、その病気にかかった人が、みんな川の周りの近くに住んでいた。

それは、上流のほうにある鉱山から流れ出る水に、カドミウムというのが入っていたためだ。鉱山をすぎると、すごく水がきれいになる。やっと長い年月かけて、カドミウムが、骨をぼろぼろにするおそろしい病気だとわかって、きっとこの萩野さんは、すごくうれしかっただろうなと思った。この人たちのために、この病気がわかるために何年もたったけど、それだけうれしかったと思う。（後略）」（授業当日の子どもの感想より）

事前に課題を出したり、調べてきたりしている訳ではないのです。子どもたちは、イタイイタイ病の学習をするなどということは、全く知りませんでした。当日使ったものは、地図帳だけです。最初は、資料集や教科書も出してはいません。授業の最後の方で、確認するときに使います。それでも子どもたちは、一定の事実を提供されるだけで、想像・推理を働かせ、その状況や物事の本質を的確に捉えていったのでした。教師が想像していた以上の力を、子どもたちは発揮したのです。あらためて子どもたちの力には驚かされます。未知のこと、今まで体験したことのない事柄に迫るためには、想像・推理することは、欠かせないのです。

想像・推理しながら対話・討論を深め、課題や物事の本質にたどり着く授業は、子どもたちは大好きになっていきます。未知のことをみんなで考え、解き明かしていくことは、楽しいことなのです。授業の最後には、毎回授業の感想を書いてもらいます。気づいたり、感動したりすることがたくさんあるからか、短時間にもかかわらず、子どもたちは意欲的に書きます。

このようなことを積み重ねていくと、子どもたちの書く力も伸びていきます。１年間の最後に一番印象に残ったことをもとに、自分でテーマを決めて書くことも体験させます。かなり時間が経っていることなのに、実によく思い出して、大量に書いていることに驚きます。単なる練習・習熟から、深い学びに変えることで、こんなに違うものなのかと驚きます。

◎保護者の感想

この日は授業参観日でした。大勢の保護者の皆さんが、来られた。そのときの感想をたくさんお寄せくださった。その中から、2点紹介させていただきます。

●「大変興味深く参観させていただきました。次は何だろう？　あのことかな？　エッと、何ていう川だったかなと、親の方もいつの間にか、一緒に勉強していました。教室全体が考えているようで、本当に中身の濃い時間でした。

いつも思うのですが、授業中、よそ見や私語がなく、皆が先生の方へ集中している姿が、とてもすばらしいと思います。

考えること、学ぶことって、こういうことだったんだなって、思いました。これからもよろしくお願いします。ありがとうございました。」

●「今日の授業を拝見して、『イタイイタイ病』のことが、頭と心に染み入ってきました。初め写真を見て笑った子ども達が、数分後には、その人の悲しみや苦しみを感じ取ったり、原因を探って発言している姿を見て、子ども達の深く考える姿勢・まっすぐな心に好感を持ちました。受け身の授業でなく、〝考える〟〝発言する〟〝調べる〟時間が与えられていて、一つの答えを得るまでに、いろんな展開があり、やっと答えを得ることができる。そういった進め方をされているので、子ども達は集中していましたし、自然と頭や心に染み入っていくのでしょうね。伸び伸び伸びしていいクラスですね。」

【3章の参考・引用文献】

（1）今泉 博「1新しい授業実践のこころみ」『現代の教育 岩波講座3 授業と学習の転換』佐伯 胖・他編 岩波書店（1998年）235〜237ページ
（2）ヴィゴツキー『新訳版 子どもの想像力と創造』（広瀬信雄・訳 福井研介・注）新読書社（2005年）10ページ
（3）同右 25ページ
（4）鷲田清一『想像のレッスン』筑摩書房（2005年）33〜34、44、50ページ
（5）同右 44ページ
（6）今泉 博『子どもの瞳が輝く 発見のある授業』学陽書房（1996年）32〜45ページ
加筆・削除・修正して掲載しています。
（7）八田清信『死の川とたたかう —イタイイタイ病を追って』偕成社（1973年）

4章 魅力的な素材・教材はこの世界にどっさりある
―それらをどう発掘し選択していくか―

1 教材発掘・選択の深い意味

クラスの実態を踏まえ教材を探す

学級にはさまざまな子どもたちがいます。それだけに教材は、子どもたちの実態を踏まえつつ、発掘・選択することが必要です。

塾に通っていて、学校で学ぶかなり前に、塾ですでに習ってしまっているAくんがいました。彼は、もう解っているから授業に参加しなくたっていい、という態度なのです。事実、テストなどのときには瞬く間にやり遂げ、ほとんど100点でした。そんな彼は、本を何冊も持ってきて、算数の時間はもっぱら読書をしているのです。彼は立ち歩いたり声を出したり、授業を妨害するようなことは一切しませんでした。したがって放っておいても授業を進める上では、困ることはないのです。

ただ彼は答えは合ってはいるものの、なぜそうするのかなど意味を深く理解している訳ではありません。深く考える面白さと、物事の本質にたどり着いたときの感動を、彼にも体験してもらいたい。そうすれば、彼が自らの意思で、授業に参加するようになるかもしれない。そう考え授業を創ることにしました。

授業は体積を求めることです。ただ直方体や立方体の体積や、それらを少し複雑に組み合わせたような体積を求める授業なら、おそらくAくんは参加しないだろう。本を読み始めている彼が、授業で教材を提示したときに、びっくりして自然に参加し出すようにできないものかと考えていたときのことです。「そうだ、猫や犬の体積を出すことにしたらどうだろう?」と思いついたのです。もちろん生きている猫や犬は使えない。それじゃあ、ホームセンターなどへ行って、瀬戸物などでできているものを手に入れようとして出かけたのでした。実際、猫や犬などの置物はあったのです。他にも使えそうなものがないかと、うろうろしながら探していると、すごいものを見つけたのでした。

私が「これだ」と即決断したものは、鎖だったのです。鎖と出合って、授業のイメージがグーンとふくらみます。明日授業で、私が「きょうは、この鎖の体積を求めることにします」と語ったら、彼はどんな表情で、どう反応するか？　もちろん彼だけでなく他の子たちもです。それを考えただけで、もうわくわくしてきました。明日の授業が今から待ち遠しくなるのです。

翌日の算数の時間。子どもたちがどう反応するか楽しみにしながら授業に臨みました。購入した1メートル程の鎖を見せると、子どもたちの目は鎖に注がれます。いつもは本を読んでいるAくんも、いったい私が鎖で何をしようとしているのかという目つきで見ているのです。そこですかさず「この鎖は何立方センチメートルあるでしょうか」と問いかけたところ子どもたちの多くは、鎖の体積なんて求められるはずがないといった表情なのです。「この鎖の体積を求める方法はないだろうか」と、さらに聞いてみました。すると真っ先に発言したのがAくんなのです。「鎖では底面積も解らないし、ぐにゃぐにゃして、高さも何センチか決められないから、鎖の体積なんて出せない」と主張したのです。否定的な発言が続くのです。「鎖の輪と輪の間に、隙間があるから、高さは決められないんじゃないの？」「底面積と高さがわかれば、体積は出せるけど、解らないから無理だ」……という意見。だから「鎖の体積なんて、求められない」というのです。

鎖の体積なんか求めることができない？

子どもたちと議論していくうちに、何人かの子どもたちが気づきました。Fくんが手を挙げ、

「四角っぽい、透き通った容器がありますか」と発言。私が「あります」と言って、教卓の上にプラスチック製の透き通った直方体の容器を出しました。「その容器に水を入れてください」と言うので、ちょっと待っててと言いながら、廊下の水飲み場から、バケツで水を汲んできました。

そしてFくんに「どのくらい入れるの?」と聞くと、「ぼくがストップと言うまで入れてほしい」と言うのです。私がゆっくり水を入れていくと、ストップの声がかかり、彼は「水と同じ高さのところの容器に、線を引いてほしい」と言うのです。「そこに鎖を入れてください。鎖の体積の分だけ、水が増えます。その水面の高さとぴったり重なるようにして、容器に線を引いてください」と話し、「最初に線を引いたところから、いま線を引いたところの直方体(水)の部分が鎖の体積だ」と説明したのでした。

「なるほど、水が増えた分が、鎖の体積ということになるね。どんなにグニャグニャな形のものでも、水を使えば、すべて立方体や直方体に変えることができるということね。こんなふうにすると、基本的にはどんな形のものでも、体積を簡単に求めることができそうだね。」

「考え方はとてもよく解ったけど、どうすれば鎖の体積を何立方センチメートルと出せるの?」と聞くと、鎖の体積分の直方体(水)の縦、横、高さを物差しで測ればよいと言うのです。ほんとうは、プラスチックの容器には厚さがありますから、その分の長さを引いて、縦と横の長さを何センチメートルか出さなくてはなりませんが、それをせず、鎖の体積をおよそで出すことにしました。

子どもたちは《縦の長さ×横の長さ×高さ》で、瞬く間に計算し、鎖の体積はおよそ40立方センチメートルであることを突き止めることができたのでした。

続いて、椅子などが自由に動くようにするためなどに利用されているキャスターの体積を測ることにしました。キャスターはプラスチックの車の部分と、椅子の脚と接続する鉄の部分があり、複雑な形です。ただそのままの形で、立方体を求める公式に当てはめて答えを出すことはできません。水と置き換えるという算数では欠かせない大事な思考が要求されます。「このキャスターの体積を求めるにはどうすればいいの?」と聞くと、子どもたちからは、鎖のときと同じようにすればよい、という自信に満ちた声が返ってきます。実際に直方体の容器に水を入れ、それにキャスターを入れます。増えた分の水（直方体）の縦、横、高さを測って、およそで体積を出したのです。

同じように当日教室に持っていったレモン、バナナ、サツマイモ、リンゴなどの体積を次々と求めていきました。子どもたちはどんな物にも体積があること、しかも少し工夫すれば、容易に体積が求められることを体験したのでした。

子どもたちはFくんの見事な考えに、すごいと誰もが驚いたのでした。算数がとてもよくできると周りからも見られ、自分でも自信を持っていただけに、鎖の体積の出し方が解らなかったAくんにとっては、ショックだったにちがいありません。一方これまで算数ができるとは思われていなかったFくんが、誰もが解るように見事に説明してくれたことに対して、子どもたちは「すごい」とびっくりしたのでした。

授業でのドラマは人間観を豊かにする

授業は、ただ教材の本質的なことを理解するだけではなく、子どもたちの人間観の形成にも大きく関わるものです。今までできると思っていた子が必ずしもよく解っていないことが表面化したり、逆にあまりできないと思っていた子が、的確な鋭い考えを出し、皆を驚かせることも少なくありません。人間観を変えてしまうようなドラマが起こることも、授業の重要なところです。人間は誰でも変わりうるという見方ができるようにしていきたいものです。

私が一番うれしかったことは、算数の時間は読書の時間になっていたAくんが、本気で授業に参加するようになったことです。私が彼を呼んで、授業を真剣に受けるように注意など全くしなくてもです。あらためて自分のこれまでの学習の仕方を反省したからでしょう。ただ早く答えを出し、100点をとっても、深く意味が解らないといけない。そのことを実感したからだと思います。彼の授業への向かい方が大きく変わったのでした。

いずれにしても、発見がある学びにできるか、深く学ぶ喜びを実感できるか、子どもたちの人間観を揺さぶることができるかどうかは、教材の質と密接に関わっています。私にとっても、この授業は教材の重要性をあらためて認識する機会となりました。

そもそも私がなぜ、体積の授業をする上で、教材について深く考えたかというと、こんな理由からです。小学校のときに、体積の授業を習ったときから、どうしてグニャグニャなもの、きちんと直方体や立方体になっていないものなのに、何立方センチメートルとか、何立方メートルと体積を出せるのかが不思議でした。立方センチメートルや立方メートルと表せるのは、箱形（サイコロ状）のものの場合です。グニャグニャしている粘土のように、いくらでも形を変えることができるものなら立体にできます。でもそういう形にできないような硬い鉄の塊でも、変形のできそうにない岩石のようなものの体積でも、立方センチメートルや立方メートルなどと表します。そんなことを考えていたときに、水の中に入れて、水が増えた分の体積を求めればいいのだと、ふと気づいたのでした。《水に置き換える》という算数・数学の発想のすごさに、感動したことがあったので、それをできたら子どもたちに体験させたいという思いで、この授業をしたのでした。

教師自身の失敗も教材になる

学習を豊かなものにしていくためには、自然に想像・推理したくなる教材を、できるだけ授業に取り入れていく必要があります。私はよく、自分の体験や失敗[1]なども授業に活かすようにしてきました。私が3年生を担任したときは、生活科がスタートした最初の年でもありました。3年生の理科は、その余波を直接受ける結果になりました。教科書では2年生でやったことと同じようなこともかなり学習しなければならないようになっていました。3年の学習を新鮮なものにするためにも、工夫が必要でした。

そこで私の失敗を、磁石の学習（小学3年理科）の導入に使ってみることにしたのです。子どもたちに次のように語ることから授業を始めました。

「郵便局の所にある郵便ポストに手紙を出して、私がバイクに乗ろうとしたときのことです。手が滑って、側溝の上のコンクリート板とコンクリート板の境目にある隙間からバイクのカギを落としてしまいました。

手を入れようとしても、隙間が狭くて手が十分には入りません。なんとか少ししか入らない手で、持ち上げようとしても、びくともしないのです。工事用のツルハシのようなものがなければ、コンクリート板を取り外すことはできそうにありません。カギを落とした隙間から覗いても、暗くてどこにカギがあるか、まったく見えないのです。近くに落ちていた棒を拾って、側溝に入れてカギを探そうと思っても、棒では全然だめでした。

用事があって急いでいたこともあり、私はほんとうに困ってしまいました。バイクをここに置いたままタクシーで行こうか。それとも、もう一度家へ戻って、合鍵を持ってこようか、迷いました。そのときに、ふと《ある方法》を思いついて、簡単にカギを取り出すことができたのです。
さて、私は側溝に落としてしまったカギを、どのようにして取り出したのでしょうか。まず予想を立ててみてください。」

子どもたちの予想は、次の四つでした。

① 下水道を工事していたおじさんにお願いして取ってもらった
② 郵便局かどこかで、磁石とヒモをかしてもらって取った
③ 水をいっぱい流し、取れるような場所に流れてきたのを取った
④ 家においてある合カギを持ってきた

④の《合カギ》を、家に戻って持ってきたという予想はおかしいと思う。家に戻らなくてもその場ですぐいい方法に気づいたということだから、「問題の意味に合わない」という意見が出され、子どもたちの意見で④は省かれました。
③の意見については、「水をいっぱい流しても、なんかにカギがひっかかり、流れないことだってあるのではないか」「カギを取れるような場所と言っても、どこかわからない」という意見が出されました。
②の意見に対しては、「磁石で取るといっても、隙間が狭いから、コンクリートにぶつかっ

てカギは落ちてしまう」と、否定的な意見が出されたものの、これに対しては、Wくんから「強力な磁石なら、少しくらいコンクリートにぶつかったって、落ちたりはしない」という考えが出されたのです。

討論が深まるにつれて、子どもたちの目は輝き出します。ありそうもない考えには、すぐ反論が出されます。討論の末、子どもたちのほとんどが、私が「磁石を使って取り出したんだ」と確信するようになります。

実は、私がカギを取り出した方法は、Wくんが予想したように、磁石だったのです。近くにちょうど文房具屋さんがあったので、私はその店に入って、磁石があるかどうか、尋ねてみました。幸い何種類かの磁石が置いてありました。少し強力そうなクリップ付きの磁石と綴じ紐を買い、それをつなぎました。うまくいくかどうか心配しながらも、実際に磁石を、カギを落とした側溝の隙間から、全く暗くて何も見えない水の中に入れたのでした。すると一発で見事にカギが「釣れた」のでした。当然だとはいえ、私自身感動してしまいました。

子どもたちに私が伝えたことは、バイクに乗ろうとしたときに、手が滑って側溝のコンクリート板の隙間にカギを落としてしまったという事実だけです。にもかかわらず、子どもたちはこの事実をもとに、みんなで想像・推理・分析し、考えられる可能性をもとに迫っていったのでした。そして子どもたちは、きっと私が磁石を使って取り出したにちがいないと確信するに至ったのです。予想が的中し、子どもたちは大喜びしたのでした。授業が終わったとき、「先生、あしたも理科やってよ」と言う子がいたほどです。

このような学びの体験が積み重ねられていくと、授業に対する子どもたちの姿勢が、確実に変わってきます。授業への期待がふくらむのです。この次の時間、どんな討論が行われ、どんなことに出合えるか、わくわくするのです。知的好奇心が授業の前から高まります。

2　教材が導く「算数の力」の意味　算数の授業での具体例

「問い」は重要な教材 ― 奈良の大仏が立ったら何メートルか

子どもたちは自然との触れ合いや生活、遊びの中などで、さまざまなことを感じながら生きています。もちろん授業の中でも、「どうしてだろう？」と疑問に思うことも少なくありません。疑問や問いは、すぐれた教材になり得るものです。しかしその疑問や問いが、授業の中で抵抗なく出されるには、なんでも言える自由な雰囲気が必要です。それには、1章でも強調しましたように、間違いに対する考え方、間違い観が問われます。間違いが深い学びにとっては、むしろ欠かせないものであることを実感できるような授業を積み重ねていくことです。

「奈良の大仏が立ったら何メートル[2]ぐらいになるのか？　それが知りたい」という声が奈良

時代の授業のときに出されました。その意見に応えて授業をしたのが、以下の実践です。

社会科の歴史の授業（6年）で、奈良時代のことを授業していたときのことです。私が「奈良の大仏の身長は14.86メートルです」と言いながら板書しました。すると予想通り、「先生、それは身長じゃないよ」「立っているんだったら身長だけど、座っているときの高さだから、座高だ」と子どもたちは主張するのです。ここで、ひとりの子から、奈良の大仏が実際に立ったら何メートルぐらいになるか知りたいという意見が出されます。そこで、もう少しすれば、その答えを見つけることができるから、そのときに大仏の身長をみんなで考えるようにしようと約束しました。

学習は、子どもたちの問題意識と関わってこそ深まります。それだけに、こういう大事な約束は忘れてはなりません。手帳などに記しておくことです。しばらくして、「比」の授業が始まりました。比の授業の最後に、みんなと約束した大仏の身長を解き明かすことにしました。

何を手がかりに身長を求めるか

大仏の身長を、何を手がかりにして考えたらよいかを議論し合いました。ひとりの子が大仏の足の長さをもとに考えればよいと言うのです。でも足の長さはすぐには解らないという意見が出されます。普通の人間をもとにすればよいのではないかという声。「普通の人間をもとにすれば解りそうだけど、普通の人間の何を手がかりにすればいいのだろう?」と問いかけると、普通の人間の身長と座高と足の長さだと言います。次の子が身長と座高の関係だと発言。普通の人間をもとにするということだけど、具体的には誰の身長と座高かを聞いてみました。すると、「友だち」「みんな」「みんなの身長や座高の平均を出す」という声が返ってきます。平均を出せばいいということを確認し、「平均を出すにはどうすればいいの」と質問すると、「たして人数でわればよい」ということにすぐなりました。

事前に保健の先生から、4月の健康診断のときの体重や身長、座高のデーターは、お借りしていました。それをもとに計算していくことにしました。少しでも計算が楽な方がいいと考えて、奈良の大仏は男性か女性か聞いてみました。すると、ほとんどの子が男性の感じだと言うので、男の子たちのデーターをもとに計算していくことにしました。もちろんその場合でも、出席順にデーターを板書することは意識的にしませんでした。なぜなら思春期の子どもたちへの配慮はとくに欠かせないからです。出席簿順ではなく、順番を入れ替えて黒板に書いていきました。実際に平均を出してみると、学級の男子の座高の平均は77.17……となり、身長の平均は144.05……となりました。そこで座高を77㎝、身長を144㎝として計算していくことにしました。奈良の大仏の座高を15mとして計算することも確認しました。

どのようにしたら身長を求めることができるか? 子どもたちは、比の意味や計算などについては、すでに学習済みだったのです。棒の長さと影の長さから大きな木の高さなど出す方法はすでに知っています。大仏の身長を求めるにはどうすればよいか聞いてみると、「大仏の座高：大仏の身長＝僕たちの座高：ぼくたちの身長」で出せるというのです。

大仏の身長をXにすると「15ｍ：X＝77㎝：144㎝」という式になります。15ｍをセンチメートルに直し、１５００㎝として計算していった子が多かったのです。計算すると約２８０５㎝（28.05m）となります。「28ｍというのは、学校のプールが25ｍだから、それより3ｍも長

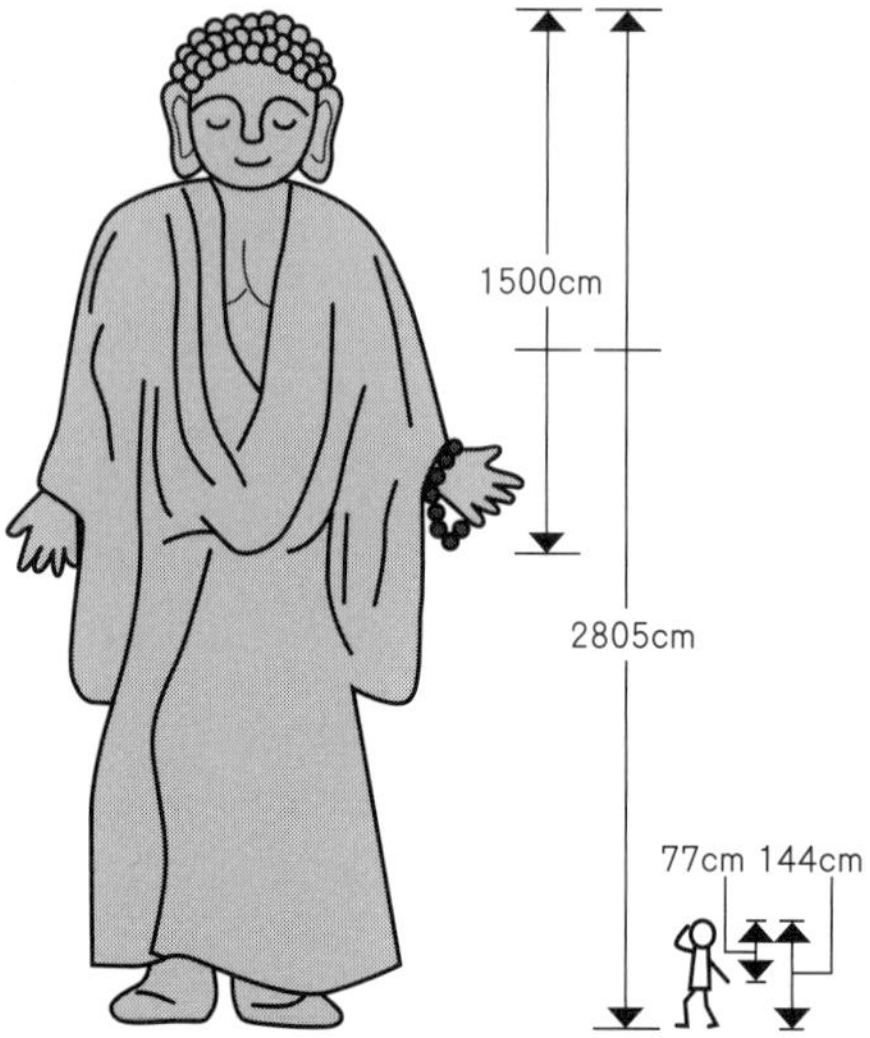

くした長さを、まっすぐに立てたことになる」とHくんが発言しました。その発言に対して「すごい」という声が子どもたちからあがりました。私がさらに「五小の校舎を三つ重ねたぐらいになるよ」と話すと、驚きの声。抽象的になりがちな算数や数学の学習において、イメージがいかに大切か、子どもたちの姿から教えられます。

算数という学問はすごい

授業の感想を最後に書いてもらうと、

●大仏の身長がこんなにも大きいなんて、予想もしなかった。校舎を三つ積み上げたぐらいなんてすごい高さだと思った。大仏さんのその肩にのってみたら、清瀬市（東京都）一面見わたせるようで、のってみたい気分になった。大仏をつくるときの大変さが伝わってきたという意味のことを書いているIさん。

●私はプールのことなんて思いつかなかったけど、Hくんがこのことを言ったので、Hくんはすごいなーと思った。計算とかの速さもだいじだけれど、こういう誰も思いつかないことも価値があると記しているKさん。

●算数の力で大仏の身長を出せるというのはすごい。算数という学問は、こういうことをするために生まれてきたものだと知った。地球から月までの距離や太陽までの距離を出したり、建物の構造をつくったりするのは、すべて算数の力で出されているんだと思う。座高から身長がわかるのだから、学問はすごい。ひとつ二つのものがわかると、全体や全部がはっきりわかるのだと知ったと書いているJくん。

問いを教材にすることで、深い学びができるのです。子どもたちは、学ぶことの面白さを体験し、人間観や学問観をも豊かにしていくのです。日常的に問いが生まれる学級を創っていきたいものです。

3　新聞記事は「生きた教材」

読んだだけでは価値が半減

教員に成り立ての頃から高学年を担任したこともあり、教材として使えそうな新聞記事をよく切り抜いていました。切り抜いた新聞は、さまざまな大きさになってしまいます。それらの切り抜きを整理しやすいように、どんなに小さい記事でも、B４の用紙にひとつの記事を貼るようにして保存していたものです。

ところが忙しくなると新聞の切り抜きができないときも度々あります。そんなときは１週間分まとめて切り抜くということもよくありました。数カ月もすると、切り抜きはかなりの量になってしまいます。それでこのやり方では、時間がかかり過ぎることから、B４紙に貼ることをやめ、教材になりそうな記事をただ段ボールに、どんどん入れて置くようにしました。必要なときに、そこから記事を探すようにしたのです。何カ月かして、この記事はもう使わないだろうと思われるものは捨てるようにしたのです。

あるとき、授業に役立つと思われる記事を、実際に授業に持ち込んでみたのです。ところが、新聞記事をどう扱うべきか、私自身よく解らなかったのです。人数分コピーをした記事を、ただ子どもたちに渡し、それを私が読んであげるようにしていたのです。その上で、子どもたちに感じたことを言ってもらい、お互いに交流し合うことしかできなかったのです。その程度でも、それなりの意味はあったと思われますが、深い学びにはなりません。せっかくの記事を、教材として活かせなかったのです。

そんな時期に、学びにおける想像と推理の重要性について、私自身が気づき始めていました。自分の実践をふり返ってみて、記事を子どもたちにすぐ渡し、ただ読んであげるからいけないのだ。記事は、対象を理解した後に読んであげるべきだったと実感したのです。《未知》にしておくべきところを、すぐ《既知》にしてしまっているから、想像も推理も働く訳がないのです。そんなことでは、どんなにすぐれた新聞記事でも、子どもたちの興味は半減してしまいます。対象に対する深い思考は、未知であるからこそ可能になります。未知のことを解き明かしていく上で、もっとも重要なことのひとつである想像・推理することを、私は事実上妨げていたことに気づいたのです。

記事から拾った「海草はなぜ浅瀬に移動するのか」という問い

6年の理科で光合成について学習したときのことです。陸上の植物が光と水と二酸化炭素によって栄養をつくり出し、生長していることを学習した後、海の植物である海草についても、授業で扱ったのでした。(3)

　そのときHさんという子が、「海だから確かに水はあるけれど、いったい二酸化炭素はあるのだろうか」という疑問を出しました。すると子どもたちから「だって、海の中にはいろんな動物がすんでいるから、その動物は酸素を吸って、二酸化炭素を出しているはずだ」「酸素は水の中にあるの？」「あるよ、魚はエラから酸素を取り入れている」「水は光を通すから、海草にも届く」……という意見が出されます。子どもたちは、海草も陸上の植物と同じように光合成を行っていることを確信していきました。

　その授業に入る少し前に、静岡県下田の海の調査結果が新聞に掲載されていました。その記事を読んだときに、ぜひ植物の光合成の学習のときに使ってみたいと思ったのです。学習は本来、自然や社会や人間の生活などを深く捉え、現実に起こっている問題を解決するためにこそ必要なものです。そういう意味でも、学校の日常の学習が、現実に起こっている問題と関わりをもっていることを、学べるようにすることが望まれます。

　この記事についての授業は、「新聞によると静岡県下田の海を調査した研究者がいたんです。その結果、海草が浅瀬に移動しているということがわかったのです。きょうは、このことをみんなで考えてみたいと思います。ところで、海草はどのくらいの深さまで生きられるのだろう」と質問することから始めました。もちろん、これまでの授業の反省から、新聞記事を最初から渡すということはしませんでした。子どもたちが想像・推理し、記事に書いてあるような内容を、読む前に解き明かしてほしかったからです。

質問に対して子どもたちからは、

「100メートルくらいまでかな」

「海の底まで」

「動物だったら、深海でもすむことができるけど」

「うんと深い所には植物は生きられないよ」

「だって光が届かなければ光合成できないから」

「光が届くところまでしか植物は育たないということだね。ところで、どうして海の植物である海草が浅瀬に移動しているのだろうか?」

と話すと、子どもたちの多くが気づいたらしく、

「先生、それは前よりも光が深く届かなくなったからです」

「なぜ前より届かなくなったんだろうね」

「海が汚れたから」

「家で使った洗剤や工場などの排水等が川に流れ、それが海の水を汚したからです」

「事実、そうなんです。前までは、この辺の深さまで届いていた光が、海が汚れて、ここまでしか届かなくなったのです。それで海の植物たちは、光を求めて浅瀬に移動したというわけです。そうすると、新たにどんな問題がのこる可能性がありますか?」

「今まで深い方の海にいた海草が、浅い方にくると、浅い方で前から生活していた植物と日

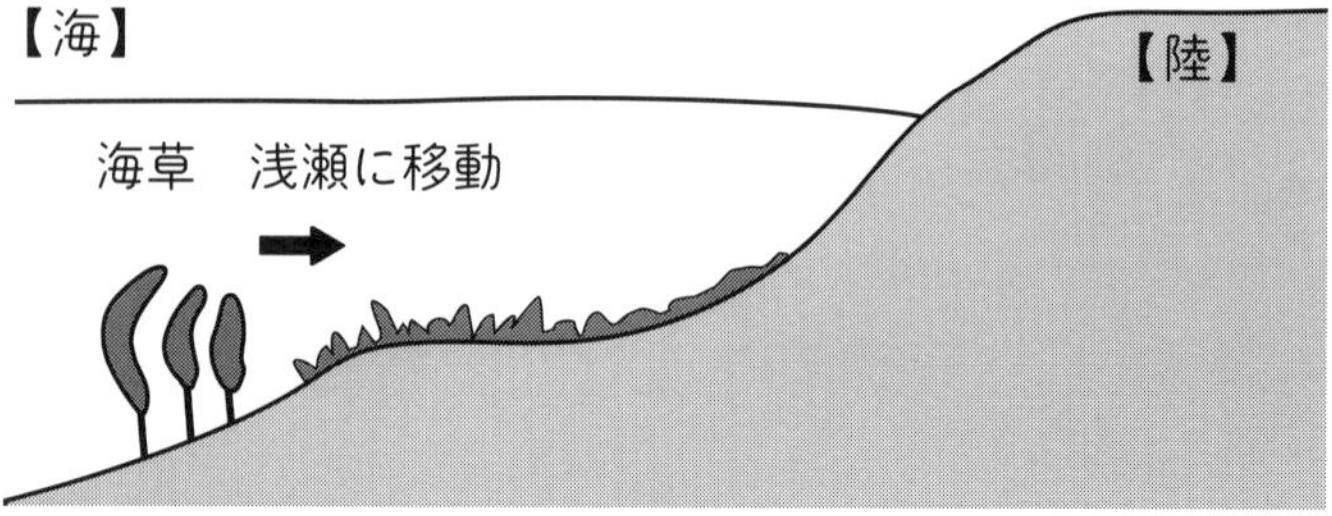

光とり競争が激しくなる」

「日光とり競争で負けた植物は、枯れて死んでしまう」

「そうだね、実際そういうことが海の世界でも起こってきているのです。……みんなすごいね。私がこの新聞記事をみんなに読む前に、なぜ海草が浅瀬に移動するか、その理由をつかんでしまうのですから。学習で大事なことは、こういう実際のことも考えられるようになることだね」

そして最後に新聞記事をみんなに渡し、私が読んであげたのです。研究者の見解と、自分たちが解き明かしたことがぴったり一致したことに、子どもたちは驚き、うれしそうな表情をして聞いていました。自分たちが科学者のような気分になった子たちも少なくなかったと思います。想像・推理することで、子どもたちにとっても、強く印象に残った授業になったのです。

ただ新聞記事を読んであげるだけだったなら、「ああ、そういうことが海の世界の中で起きているんだ」という程度の認識で終わっていたと思われます。未知のことを深く認識するには、子どもたちが想像・推理することは欠かせません。新聞記事は、現実に起こっていることをリアルに伝えてくれるだけに、学びの素材・教材として大いに活用したいものです。

なお新聞記事を切り抜きしていると、どんどん溜まっていきます。記事の中でこれはぜひというものは、素材・教材マップ（一覧表、縦の欄には学年名、横の欄には教科名）みたいなものを作成し、これは何年生の何の教科のどの単元で使用できるかをメモしておくと便利です。せっかくの記事を忘れていて、無駄にしないようにすることです。

物事を認識するには、全体を捉えるマクロ的な視点とミクロ的な視点の両方が必要であることはよく言われます。それには異論はありません。ただ自然や社会、人間の世界をリアルに捉えるには、望遠鏡や顕微鏡のように、やはり小さな《点》から見ることは不可欠です。見るに関係する言葉である視点、観点、焦点などが、いずれにも《点》という漢字が使われているのは偶然ではないでしょう。教材はこの世界を捉える「小さな窓」の役割を果たします。その意味でも、すぐれた素材・教材を発掘していくことが求められます。

よりよい教材を発掘し実践できるようにすること

授業を創る上で、教材がどれだけ重要かは、子どもたちと授業をされている教師にとっては、日々痛感していることです。すぐれた教材であれば、子どもたちの興味や関心がグーンと高まります。それだけに、子どもたちが生き生き自ら参加するような授業にしていくためには、すぐれた教材を用意することが求められます。教科書の中の教材には、すぐれたものもない訳ではありませんが、どうしてこんな教材が載っているのか、もっとすぐれた教材があるのではないかと思うものも少なくありません。教育の専門家である教師が、そう感じた場合には、よりよい教材を選択できるようにすべきです。自分で教材を発掘したり、教材を作成したりすることが、自由に行えるようにすることです。ところが現場では、そういうことが許されないような雰囲気や状況が未だにあります。授業のねらいや目的が外れていなければ、自由に創造的な実践ができるようにしていくことです。こうしてこそ教師の専門性も発揮され、子どもたちが目を輝かせて学ぶような授業が可能になります。

今回の新学習指導要領（２０１７年告示）作成についての議論は、中央教育審議会の教育課程企画特別部会で行われました。その公開の議論を2回傍聴させていただきました。そのとき、教科書や教材等について、ある県の教育長をされている方から、重要な意見が出されました。「本格的にアクティブラーニングを行うのであれば、自分の地域で採用された教科書だけでなく、教師がどこの出版社の教科書でも参考にして授業を創るようにすることができるようにすべきではないでしょうか。さまざまな情報が容易に手に入る今日、教科書にそんなにこだわる必要もなくなってきているのではないかと思われます。教師がもっとさまざまな教材で授業できるようにしなければ、アクティブラーニングはうまくいかないのではないでしょうか」という意味の発言でした。当日の教育課程企画特別部会には、大学の教授をされている方も複数出席されていましたが、それに関連した発言が全くなく終わってしまいました。子どもや現場の実践と深く関わっている問題だけに、とても残念なことでした。

教育の専門家である教師が、授業のねらいや目的に応じて、すぐれた教材を自由に発掘・選択することができるようになることが求められます。

【4章の参考・引用文献】

（1）今泉　博『まちがいや失敗で子どもは育つ』旬報社（2003年）12～16ページ

（2）今泉　博『崩壊クラスの再建』学陽書房（1998年）178～184ページ

（3）今泉　博「教材をどう発掘し授業化していくか」『松本大学 研究紀要 第18号』松本大学（2020年）137～139ページ

5章 基礎・基本は単なる練習・習熟の対象ではない

―深く豊かに学んで思考力・判断力も育てる―

1 基礎・基本を深く理解する学びとは

学習指導要領ではどう位置づけられているのか

これまでの学習指導要領でも、新学習指導要領（2017年告示）でも、基礎的・基本的なことは、「習得」の対象として位置づけられています。

2008年3月に告示された『小学校学習指導要領』の「第1章総則」の「第1 教育課程編成の一般方針」その「1」のところで、「基礎的・基本的な知識及び技能を確実に習得させ、これらを活用して課題を解決するために必要な思考力、判断力、表現力その他の能力をはぐくむ」となっています。[1] また、同じく「第1章総則」の「第4 指導計画の作成等に当たって配慮すべき事項」「2」の（1）のところでは、「各教科等の指導に当たっては、児童の思考力、判断力、表現力等をはぐくむ観点から、基礎的・基本的な知識及び技能の活用を図る学習活動を重視する」と記されています。[2]

２０１７年告示の新『小学校学習指導要領』でも、基礎的・基本的なことについての考え方や位置づけは、２００８年告示の『小学校学習指導要領』とほとんど変わってはいません。「第1章 総則」の「第1 小学校教育の基本と教育課程の役割」「2」の（1）のところでは、「基礎的・基本的な知識及び技能を確実に習得させ、これらを活用して課題を解決するために必要な思考力、判断力、表現力等を育む」となっています。[3]「総則」の「第4 児童の発達の支援」の「1 児童の発達を支える指導の充実」、その（4）でも、「児童が、基礎的・基本的な知識及び技能の習得も含め、学習内容を確実に身に付けることができるよう」[4]にと書かれています。

以上のことから、学習指導要領では基礎的・基本的なことは、「習得」の対象であり、課題を解決するために必要な思考力、判断力、表現力等を育むための手段・ツールとして認識されています。

学習指導要領の作成に関わってきた研究者からも、「教えて考えさせる授業」などの主張が出され、現場にも一定の影響を与えてきているように思われます。そこでも基礎的・基本的なことは、全体としては、これから深く学んでいくための手段として、ツールとして捉えられています。しかし、果たしてほんとうに基礎的・基本的なことは、単なる手段であり道具であり、「習得」の対象なのでしょうか?

手もとにある辞典を見てみると、「習得」という言葉の意味は、『広辞苑 第六版』(新村出編 岩波書店)では「習って会得すること。習って覚えること。[5]」となっています。『三省堂国語辞典 第五版』には、「ならい、おぼえること。[6]」と記されています。『新漢語林 第二版』には、「ならって、よく覚えこむ。習い覚える。[7]」と書かれています。いずれの辞典でも意味はほぼ共通しています。ついでに『広辞苑 第六版』で「習う」という言葉を調べてみると、「①くりかえして修め行う。稽古する。…(中略)…②教えられて自分の身につける。学ぶ。[8](後略)」と記されています。

学習指導要領でも「教えて考えさせる授業」でも、基礎的・基本的なことは、くり返し練習し身につける対象として認識されています。基礎・基本を学ぶ過程で思考力・判断力を豊かに育てていくなどという考え方はほとんど見られません。私は学習指導要領で示される〝活用・応用〟が思考力・判断力等を育てるということを、否定しているわけでは全くありません。

基礎的・基本的なことの学習の中にも、かなり高度な思考力・判断力を要求されることも少なくないのです。基礎的・基本的なもの＝習得すべきもの、活用・応用＝思考力・判断力を育てるという、パターン化されたような考え方には疑問です。そのような考え方では、基礎的・

基本的なことを何度もくり返し練習などをして身につけていく、習得していくということになってしまいがちです。

『分数ができない大学生』のことが話題になった頃、その執筆者のひとりでもあった芳沢光雄氏は、算数・数学教育の現状について危惧されて、『数学的思考法』[9]（講談社現代新書）の中で、次のように指摘されていたのでした。

「何よりおかしいと思われるのは、算数・数学は与えられた条件のもとでいろいろと『考えること』を学ぶものであるはずなのに、単純な計算練習の数をこなしスピードを上げることや解法を丸暗記することが数学力を上げる『救世主』であるかのように受け取られている風潮である。もちろん計算力は必要だ。しかしそのような『条件反射丸暗記』学習法は、『処理能力』は上がるかもしれないが、思考力を養うことにはつながらない。まして、最も大切な、数学そのものの面白さを知るという点では、まったく対極にあるやり方と言ってよい。」（3〜4ページ）

「このような時代に、まるで計算機と競わせるかのような条件反射丸暗記中心の教育は、的はずれ以外の何ものでもない。（一部には「頭を使って考えるのはごく限られたエリートだけでよい」などという考えもあるようだが、とんでもない間違いである）。」（6ページ）

「計算練習は必要である。しかし『公式』や『やり方』を導き出す過程をしっかり納得したうえで行うべきであり、数式もていねいにきちんと書くことを心がけるべきなのだ。ところが『学力低下論議』を追い風にして何が起こったかといえば、考え方を理解したうえで一歩ずつ正確に計算するのではなく、数式の命である等号さえ省略し、表の中に答えだけを急いで書くような訓練こそ『学力向上』の救世主となるかのような幻想を、一般の大人たちばかりか一部の教師までが抱いてしまったのだ。『分数ができない大学生』の分担執筆者の一人として、まことに残念でならない。」(17ページ)

このような状況は、未だに続けられています。変わったなどと言えるような状況ではありません。これでは科学や文化を発展させる上で人間が格闘してきた歴史や、その発見の重要さ・面白さをなんらかの形で体験することは、困難です。人類の科学や文化の発展からすると、今日、基礎的・基本的なことと言われていることの気づきや発見も、認識の発展過程では大きな「飛躍」だったのです。それをまだ「気づかなかった段階」と、それを「発見・獲得した段階」では格段の差があります。その違いは絶壁とも言えるほどなのです。それを理解するには、かなり高度な思考が要求されます。したがって基礎的・基本的な学習であっても、思考力や判断力を育てることが十分可能なのです。

位取りの原理は感動に値する

小学校1年生で学ぶことの中にも、そういうものが少なくありません。たとえば位取りの原理は、その典型的なものの一つです。このお陰で、どんなに数が大きくなっても、無限に近いような数であっても、0から9までのわずか10個の数で、それを容易に表すことができます。ちょうど、道路のないところでも少しぐらいのアップダウンであれば、自ら道路を車体で造り出し、どこまでも進むことができるブルドーザーのようなものです。1万メートルもの距離をまっすぐ走るには、かなりの道程が必要になります。それを楕円型にした400メートルのトラックのある競技場などであれば、25周すれば1万メートルを走ったことになります。今、例として取り上げた事柄には共通する点があります。円や楕円（輪や環）等にすることで、わずかな有限のもので、しようと思えば無限に近いことまで実現できるということです。国家予算では、何十兆という数が出てきます。位取りの原理（ゼロの発見も含め）を人間が発見・獲得していなければ、このような数を表すことは大変なことになっていたことでしょう。

1年生で「99の次はいくつか」を授業したときのことです。多くの子どもたちは、99の次は100であることは、一応唱えることができていました。親と一緒に風呂に入ったときなど、「100まで数えたら上がるからね」と言われて、「1、2、3、4、……」とくり返し100まで唱えているうちに、99の次は100であると頭に入ったのでしょう。いわゆる「風呂場の算数」のお陰で。しかし、99は9が二つもあるのに、100は0が二つと1が1個しかありません。それなのになぜ99の方が100より小さいのか、疑問を抱いていた子たちも少なくないのです。

なぜ99の次が100なのか、私が実際に授業したときのことを『子どもの瞳が輝く 発見のある授業[10]』から紹介させていただきます。

「99の次はいくつ?」

「100」

「どうしてそうなるか、黒板で説明できる人はいますか」

するとNさんが前に出てきて説明し出します。

「99というのは、十の位のタイルが9本と一の位のタイルが9個でしょ。ここに（一の位に）1個増えると、個のタイル（□）が10個になってしまいます。それで、本のタイル（▯）になって引っ越さなければならないから、となりの部屋に1本になって引っ越すと、10本と0個になるから、100になります」

Nさんの説明はなかなか説得力のあるものでしたが、すぐに反論が出されます。

「本の部屋に入れるのは、9本までじゃないの?」

「10本になったら、隣の部屋に引っ越ししなければならないよ」

「でも、引っ越しする部屋はないよ」

「部屋を新しくつくればいいんじゃない?」

「ほんとうのうちだって、家族が多くなったりすると、うちを大きくするでしょ。だから、私も部屋をつくればいいと思います」

「それじゃ、本の部屋の隣に、こう部屋をつくることにするよ。ところでここには、どんなタイルが入ることになるんだろう？」

するとKくんが前に出てきて、長方形のタイルを書き出します。これに対してSくんが、「長方形ではなく、正方形になるはずだ」と主張。本のタイルが10本集まると、ま四角（正方形）になることを、子どもたちは納得していきます。子どもたちは、友だちの意見を「なるほど」といった表情で聞いていました。

私が正方形の画用紙を見せて、「これを数えるとき、なんと言うかな」と言うと、子どもたちから一斉に「1枚」という答えが返ってきます。

「そうだね、だからこのまま四角のタイルを《まい（枚）のタイル》と呼ぶことにします。この《まいのタイル》が入る部屋を《まいの部屋》あるいは《ひゃくのくらい》と言います」

と板書しながら話し、今、議論したことをもう一度確認しながら、タイルを動かしていきます。

「99は、9本と9個だね。それに今、1個ふえると、一の位の部屋の個のタイルが10個になってしまうから、十の位に1本のタイルになって、引っ越します。もう一の位にはひとつもタイルはありません」

子どもたちからは、「零」という声。

「引っ越したら十の位のタイルも、10本になってしまいました。そこでさらに百の位に、1

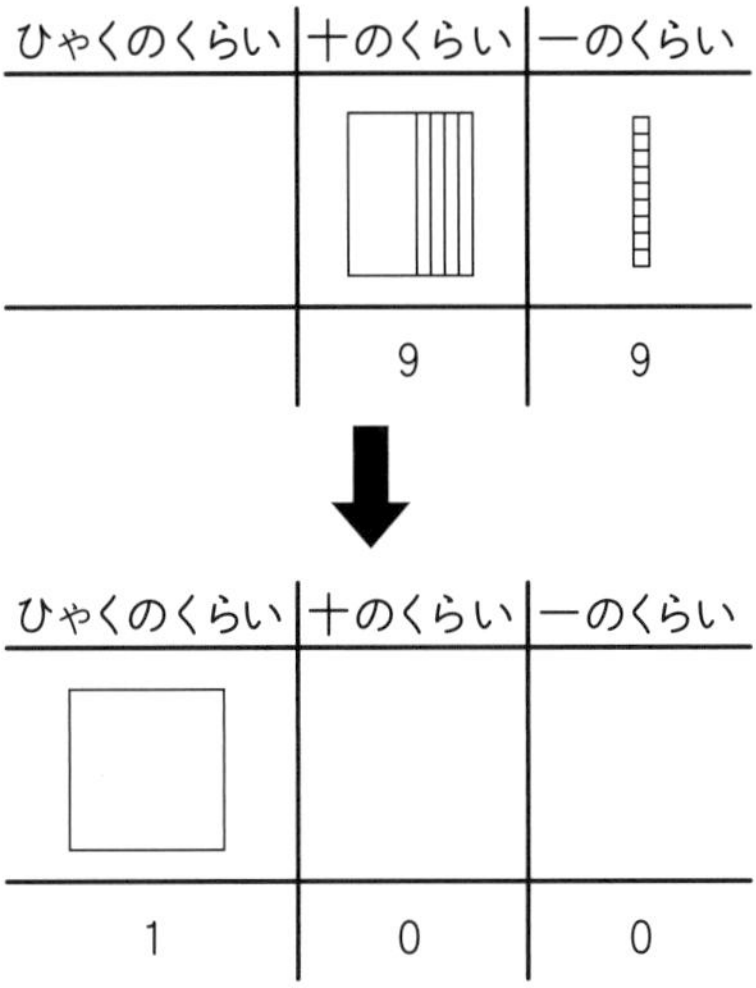

枚のタイルになって引っ越します。すると十の位には、タイルが１本もなくなってしまいます。１枚０本０個だから100、99の次は100なんだね」

と話すと、「あっ、そうか」「はじめてわかった」「すごい」などの声がまじりあって、「うわー」という感動の声が自然に拡がりました。

　入学前に、99の次は100だと憶えていた子たちも、どうして9が二つもある「きゅうじゅうきゅう」の方が、1と0しかない「ひゃく」より小さいのか、疑問だったのです。その理由がわかって、子どもたちが感動するのも、もっともなことです。

　子どもたちのこの姿から、位取りの原理の発見は、感動に値するものであることを教えられます。このときの授業は、子どもたちにとって深く印象に残ったようです。子どもたちは学習したことを日記に書いています。そのひとりHさんは日記にこう記しています。

「わたしは、がっこうで、こんなにすうじをやるとは、おもいませんでした。すうじはずいぶんやったけど、わたしはもっとすうじをやりたいです。わたしはすうじがどのくらいあるかしりたいです。それとも、すうじは、おわりがないのでしょうか。わたしは、しりたいです」

この日記を朝の会で読んであげて、みんなはどう思いますかと聞いてみました。すると子どもたちの意見は二つに分かれたのです。一方は「数は限りがあると思う。だって、数字の言葉が、万や億ぐらいしかないから。もし、数がどこまでも続くのなら、言葉だって、まだまだいっぱいあるはず」（「限りのある派」）と主張するのです。

これに対して、数はどこまでも続いている（「どこまでも続く派」）と考える子どもたちがいます。人数的には、「どこまでも続く派」の方が多いのです。意見を聞いていると、この子たちの頭の中には、タイルがイメージされていることがわかります。「個のタイルが10個になれば、1本になって、十の位にいくでしょ。また1本が10本集まれば、1枚のタイルになって百の位に引っ越すでしょ。だからそれをくり返すから、どこまでも続く」と主張します。この派の子どもたちの頭の中には、正方形、長方形、正方形、長方形、……の順で大きくなりながら、どこまでも続くタイルのイメージが創られているのです。

1年生ということもあり、ここではもちろん結論は出しませんでした。子どもたちはますます《数の世界》を深く知りたくなっていきます。ここでの「問い」が、3、4年生で大きな数を学習するときに、生きて働くはずです。

このように、基礎的・基本的なことを深く学べるようにすることで、思考力や判断力も育てることができるのです。基礎的・基本的なことを、このようにわくわくしながら豊かに学べるように数カ月取り組んでいくと、1年生でも学びは着実に深まっていきます。

2 「広さ」をめぐる基礎・基本　学びの過程で深まる思考

「広さ」の比較をどう授業するか

算数で、広さを学習する時期が近づいていました。そこで、教科書の広さのところを開いてみたのです。確か教科書ぐらいのものと葉書ぐらいのものの広さを、比べるにはどうすればよいかというようなことだったのです。この教材では、子どもたちが目を輝かして、興味を持って学習することは難しいと考え、ひと工夫しなければならないと感じました。そこで自分で教材を作成することにしたのです。

ところが日々の忙しさに追われて、まとまった教材研究の時間はなかなかとれません。それで通勤時の自転車を漕いでいる時間や、電車の中で教材について考えるということをしていました。広さの学習の時期が迫ってきているのに、なかなか授業のイメージができなかったのです。そんなときのある朝、駅に向かって自転車のペダルを踏んでいると、うれしいことに広さの学習のイメージが湧いてきたのです。

教科書では、二つの広さがどっちが広いかというところから始まっています。しかしその前に、広い・狭いを比較するには、ひとつのものだけでは判断できません。二つ以上のものがなければ比較できないことを子どもたちが実感できるようにしなくてはならないと考えました。比較の条件を、子どもたちが矛盾にぶつかる中で、気づいていくようにすることだと思ったのです。その上でどっちが広いか比較させる。その場合も、教科書の広さと葉書の広さの大きさの比較では、子どもたちが興味を持って生き生き取り組むなどということは、期待できません。そんな授業では「どっちが広いかすぐ見てわかるよ。なんでこんなわかりきったことをぼくたちに質問するのだろう？」と感じる子どももいるかもしれません。これでは深い学びはできそうにないと考え、「教科書のように、見てすぐどっちが広いかわかるようなものでは、よくない。どっちが広いか、見ただけではすぐ判断できないようなものを提示する必要がある」と気づいたのです。

さて、そういうものはいったい何だろう？　と悩んでいたときに、ふと頭に浮かんだのが、正方形と三角形だったのです。一辺が30㎝くらいの正方形を工作用紙で切り抜いて、同じものを二つ作ります。その正方形のひとつを対角線で切り離すと、小さな三角形が二つできます。

それを合わせてひとつの三角形にします。切り目がない方がいいので、その三角形と同じ大きさの三角形を方眼用紙で作るのです。正方形と三角形は同じ広さなのに、見た感じは三角形の方が大きく（広く）見えるのです。このようにして、どっちが広いかを投げかけると、おそらく対立・討論が必然的に生まれるはずです。子どもたちからどんな意見が出され、どのようにしてみんなが納得するような結論にたどり着けるか？　当日の授業がイメージできるようになると、授業することが待ち遠しくなってきます。

比較の条件を捉えることから

授業では「広い」とか「せまい」という言葉は、比較の言葉であること、したがってひとつのものだけでは決められないこと、比較する対象が必要なことを、なんらかの形で捉えさせることから始めました。

「みんな、これから描く絵を見てて」と言いながら、私がチョークで長方形を描いたのです。すると子どもたちからは、「船だ」「電車」「バス」「教室」「レンガ」「コの字型」という声があがります。黒板の絵にひとつ付け加えていくにしたがって、子どもたちのイメージが変わっていきます。「人の顔じゃない?」と言う子たちもいます。子どもたちは何だろうという表情で黒板の絵を見ています。この絵に、鉄棒やのぼり棒、木や門などをさらに加えていくと、「あっ、校庭だ」「落六小《おちろくしょう》の校庭だ」という意見が出されます。子どもたちは、自分たちの学校の校庭であることを確信するのです。「そう、これはみんなが今言ってくれたように、落六小の校庭です。ところで落六小の校庭は広いだろうか、広くないだろうか？」と聞いてみました。すると賛否両論が出されます。「まえ、山形（県）の公園に行ったとき、公園がすごく広かった。池や橋もあってね、4人乗れるブランコもあったんだよ。だから落六小の校庭は広くないと思う」「私は、落六小の校庭は広いと思います。私の行っていた幼稚園はね、アスレチックみたいなものなんかもあってね、せまかったよ。校庭は何倍も何倍も広いよ」「ぼくは、落六小の校庭はせまいと思います。だってね、うちのおかあさんＰＴＡの役員しているのね。このへんの小学校や中学校によく行くの、そして帰ってくるとね、『落六小の校庭ってせまいね』って、いつも言っているよ。だから、せまいと思います」。こんな議論をしている中で、子どもたちは、ひとつのものでは、広いとか広くない（せまい）とは言えない、必ずほかに比較するものがなくてはならないことを学びとっていきました。

その次に、大きめの画用紙（青色）と小さめの画用紙（黄色）を示し、どちらがどれだけ広いかを知るには、どうすればよいかを考え合いました。青色の画用紙の真ん中あたりに黄色い画用紙を重ねて、「周りのぶんだけ青色の方が広い」と説明する子や、直接重ねないで、「縦と横の長さを比べて、青の方が広い」と考える子たちがいます。また、2枚の画用紙の端をそろえて、「青色の方がこれだけ広い」と、発言する子もいます。最後に端をそろえて、どちらがどれだけ広いかをみんなと確認しました。広さを比べるにも多様な方法があることを子どもたちは感じたことでしょう。

同じ「広さ」であることを解き明かす

その後、工作用紙（方眼）を切り抜いて作った三角形と正方形では、どちらが広いかを話し合いました。20人以上が三角形の方が広いと予想しました。４人の子が正方形の方が広いと考えました。同じと思う子が６人。５人の子が、どちらが広いかわからないに手を挙げました。

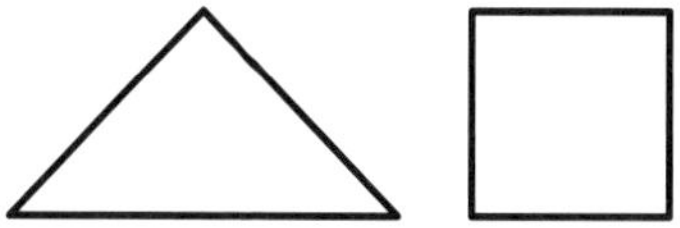

「どっちが広いかは、どうしたらわかるだろう？」と質問すると、Sさんは「周りの長さを測って比べてみるといい」と言います。実際にひもで測ってみると、三角形の方が長いのです。Sさんの説明で、「三角形の方がやっぱり広いにちがいない」と感じた子たちも、少なくなかったと思います。気づいたら、「きっと同じになる」と予想したDくんがハサミを持って前のほうに出てくるのです。すると周りの子たちから、「切っちゃだめ」という声があがりました。やっぱり1年生なんだと思いました。「それじゃ、切る前に、どうしても意見を言いたい人はいる？」と聞いてみると、Tくんが手を挙げました。黒板の前に出てきて、いろいろ重ねようとするのですが、これ

ではうまくいかないことに気づいて席に戻りました。今度はKくんが手を挙げ、三角形と正方形のそれぞれの、「ます（方眼）が何個あるか数えてみるといい」と発言したのです。これに対して、Sさんが、「ますといっても、三角（形）の方はますが切れているから、うまく数えられない」と反論します。するとYくんが、「まだ、ちがう考えがある」と言って、前に出てくるのです。まず正方形の厚紙のふちを白いチョークでなぞって、黒板に正方形を書いたのです。その正方形の中心線に、三角形の頂点を通る垂線を合わせるようにして、三角形をなぞっていきます。そして彼は、正方形からはみ出した部分（左右の二つの三角形の部分）をチョークで赤く塗り、「この三角形、こっちに上げ、こっちの三角形をこっちに上げると、同じになる」と見事に説明したのです。彼の鮮やかな説明に、子どもたちは「さすが」といった表情で聞き入っていました。続いて、さっきハサミを持って出てきたDくんが再び手を挙げ、前に出てきました。Yくんの発言を聞いて、彼はますます自分の主張に確信を持ったようなのです。三角形の頂点からの垂線を示し、「ここを切ってつなげると、四角になる。きっとこの正方形と（広さが）同じだと思う」と説明。彼はみんなの期待に応え、三角形の厚紙をきれいに切ってくれました。

私がその三角形をガムテープで貼り合わせながら、「予想を変える人は？」と聞いてみると、ほとんどの子たちが、「同じ」という予想に変えたのでした。どの子も討論の中で、同じになるということを確信したようです。実際に重ねて比べてみると、予想通りぴったり重なったのです。子どもたちは歓声をあげ、跳び上がって喜びました。学習が壁に直面することで、新しい発想が生まれ、思考が深まります。授業においては、教材と共に対話・討論がいかに大事かを、子どもの姿から教えられます。

私は授業を創るときに、よく思い出す言葉があります。作家の井上ひさしが、かつて記した言葉です。

むずかしいことを　やさしく、
やさしいことを　ふかく、
ふかいことを　おもしろく、[11]……

さらに続きますが、素敵な言葉です。もちろん、ここには漢字はひとつも使われていません。この言葉は授業を創るときにも当てはまります。この三拍子が授業で揃っていれば、子どもたちは生き生き目を輝かせて学ぶはずです。そんな授業を創ることのできる教師をめざしていきたいものです。

3　深く豊かな学びを妨げる三つの要因

深い学びの実現には

「深い学び」ということが強調されるようになっても、なかなかそうなっていかないのはなぜなのか？　そこには、いくつかの理由が考えられます。

そのひとつは、基礎的・基本的なことを面白く、深く豊かに学べるようにするという視点が十分ではないためです。むしろ、基礎的・基本的なことは、これから難しいことを学んでいくための手段や道具であるといった捉え方が根強くあります。そのような状況では、子どもたちが待ち遠しくなるような授業を創っていくことは困難です。

入学してきた学生に、「小・中・高を通して、心に強く残っている授業にはどんなものがありますか」と聞いても、「ほとんどない」というのが実態です。このようなことは、特定の年度、特定の大学の学生ではなく、日本では一般的な状況のように感じられます。それを克服していくためにも、基礎的・基本的なことを深く豊かに学ぶことがいかに重要かを、再認識する必要があるのではないでしょうか。基礎的・基本的なことは、単なる「習得」の対象ではないことを強調したいです。意味がよくわからないことを練習・習熟して覚えたとしても、いずれ記憶から剥落していくことになります。

今から100年以上も前に、スウェーデンの教育学者、エレン・ケイが当時の教育について『児童の世紀(12)』の中で指摘していたことが、残念ながら今日の日本の教育にも当てはまるような気がします。

「いまの学校では、どんな結果を生んでいるのであろうか？ それは脳の力の消耗であり、神経の衰微であり、独創力の阻止であり、進取性の麻痺であり、周囲の真実に対する観察力の衰退である」

「教育全体の目的は、学校教育でも同じことだが、試験の点数や成績証明書ではない。こんなものは地球から追放されるべきだ。むしろ目的は、生徒たち自身がまず第一にみずから知識を摂取し、みずから感銘を受け、みずから意見をもち、精神的な楽しみを求めて勉強することであるはずだ。…（中略：筆者）…

物事はすべての人の記憶から消えるものだが、消え方の最も早いのは、混ぜ物を断片的に茶匙で与える方式である。しかし、教養は幸いにも物事の知識だけではない。極端な逆説に従えば、『すべてを忘れた後に残ったものこそ、本当に学んだものになる。』」

「知識を通して、実在のなかの偉大な関連性、自然と人間生活とのあいだの相互関係、現在と過去とのあいだの因果関係、各国民間及び各思想間の相互関係に対する見方を会得した者のみが、自分の教養を失わずにますますことができる。」

どういう学びが生涯にわたって、生きた教養として役立ってくのかというエレン・ケイの指摘は、今なお重要な意義があります。

教材研究が保障されていない深刻な実態

二つ目は、現場の教師は、教材研究をする時間がほとんど保障されていないという実態にあること、それも理由のひとつなのです。先日長く東京の小学校の教員をし、退職された方のお話を聞く機会がありました。ぜひ非常勤で来ていただきたいとお願いされ、現在も週に何回か学校に入っていると言います。その方が、現場の先生方はほんとうに大変ですと語っておられました。今、入っているクラスは1年生のクラスだと言います。その学級担任の若い先生は、指導書を持って授業をしているということです。準備ができなかったので、指導書を持って授業せざるを得なかったのでしょう。子どもたちも、先生が持っている指導書には、赤字で答えが書いていることを知っていて、先生が質問すると、「先生、先生が持っているその本に、なんて答えが書いてあるかを教えてください」と聞くというのです。これでは子どもたちが目を輝かせ、生き生き学ぶ授業は望めません。おそらく先生自身も、準備不足を実感しながら、授業に向かっているのだと思われます。

新聞に中学教員（30歳代、社会科）の勤務実態についての記事が出ていたことを思い出します。1日18時間働く日も、少なくないということです。朝7時に出勤し、夜の10時半ごろに退勤。

翌日は早朝3時半に起きて、朝学習や授業の準備をするというのです。授業準備がある週の半分は睡眠時間が「3～4時間半」という状況だと語ります。日によっては1時間半のときもあり、ソファでごろ寝するというのです。決められた勤務時間は、8時10分から午後4時40分。しかし、朝7時で5、6人、7時半には半分以上の先生が来ているというのです。午後10時以降も残っている先生方がいるし、自分も日付が変わるギリギリに帰ることがあるそうです。

ここまで酷くはないにしても、似たような状況は教育現場では一般的な状況になっているのです。私の教え子で、現在教員になっている方に連絡をとったときのことです。「今お家ですか」と聞いたところ、夜の10時を過ぎているのに、「まだ学校です」と言うのです。「あなただけ？」と聞くと「まだ若い先生方が何人も残っています。いつもです」という答えが返ってきます。事務的な仕事をしたり、明日の授業の準備をするには、勤務時間内では全然終わらないというのです。

2022年元旦に、現場の教師からいただいた年賀状には、次のように記されていました。

「今年で55歳になってしまいます。60歳定年制でいけば、あと5年です。60歳定年の後の制度としては再任用・再雇用制度が65歳までありますが、現在のようなブラックな学校に勤めようとは思いませんし、勤められるだけの体力も気力も続きそうにありません。昨年は3年生を担任しましたが、残業時間は4月・27、5月・67、6月・65、7月・55、9月・59、10月・72、11月・69。11月までの総計は459時間。1日8時間労働として計算したら、57日間残業しています（もちろん残業代は出ていません）。こんなことを60歳超えてもできるとは到底考えられません。

少しはましになるのかと期待半分だった『学校の働き方改革』は、とんでもない方向に舵を切ってしまいました。教員へ『1年単位の変形労働時間制』の導入の法律が国会で十分な審議もなく内容も矛盾だらけなのに、ゴリ押しされました。その制度は……現在学校の退庁時刻は16時45分ですが、これを18時にする制度です。週に3日程度18時まで働かせ、多く働いた時間分は、夏休みにまとめて5日程度休暇を取らせようという仕組みです。今の学校には繁忙期も閑散期もありません。夏休みは研修等でかえって忙しいのが実情です。」

そして最後の方には「現場は本当に狂ってます」と書かれているのです。この勤務実態を、国も教育委員会も本気で改善していかなければ、教師も子どもたちも生き生き生活できる学校教育の実現は望めません。

ほんとうに学校現場のこの深刻な実態は一刻も早く改善されなくてはなりません。部活問題も含め、教師の長時間勤務については、マスコミでも大きく取り上げられる中で、教育委員会や文科省も改善に動かざるを得なくなってきています。

教師が授業や生活指導などに専念できるようにしなくてはなりません。一クラスの子どもの数を減らし、ゆき届いた教育ができるようにすることや、専任の教員を大幅に増やすことなど本気で改善することが切実に求められています。

新聞は、学生の間では教員の長時間労働（しかも残業代ゼロ）への懸念が広がり、教員採用試験の受験者の減少が止まらないと指摘。ある県の23年度公立小教員採用試験では、採用見込み数200人に対して、受験者数がその数にも満たない198人だったというのです。異例の「定員割れ」の事態まで生まれています。文科省は「6年ぶりに公立学校教員の勤務実態調査を実施」しているとのこと。

残業代ゼロはおかしい、即刻改善すべきという現場からの声を、事実上無視し、放置してきた責任も重大です。公立学校教員の残業代を支払わないと規定している「教職員給与特別措置法（給特法）」を、今頃になって見直し論議を始める方針だということには、呆れてしまいます。この深刻な状況が続けば、ますます教員採用試験の受験者数が減っていくことは明らかです。

学習指導要領で「自由な発想が奪われている」

理由の三つ目は、学習指導要領によって、教材の工夫や自由な実践ができにくい状況があることです。それは、今までの上からの「指導」とも関わって、学習指導要領、及びそれに基づいて作成された教科書と違っていてはいけないかのような意識が、教員の中に形成されてきたことも要因でしょう。教育課程を編成・実施していく上でのもっとも大事な視点のひとつは、子どもたちや学校・地域の実態に即して教育課程を編成し、実践していくことです。「学習指導要領」でも「児童の心身の発達の段階や特性及び学校や地域の実態を十分考慮して、適切な教育課程を編成するものとし、これらに掲げる目標を達成するよう教育を行うものとする」と明確に述べています。したがって学習指導要領の通り、教科書の通りやらなくてはならないということではありません。子どもや学校、地域の実態を十分踏まえて実践していくということです。教師が専門性を発揮し、大いに工夫していくことが求められているのです。

『学校の「当たり前」をやめた。[13]』がマスコミでも取り上げられ反響を呼びました。著者の工藤勇一氏は、東京都公立中学校教員、東京都教育委員会、目黒区や新宿区の教育委員会などを歴任し、当時は東京の千代田区立麹町中学校の校長をされていた方でした。2018年に出版されたその著書の中で、工藤氏は学習指導要領にも言及されています。

「個人的には、現在のカリキュラムの内容は多すぎると感じています。現代の社会が求める最小限のものに絞り、もっとシンプルにする必要があると考えます。

ところで、教育関係者の多くは、学習指導要領に基づいて作られた教科書をこなすことや、定められた時間数を守ることに意識が向きがちです。地域の実情や目の前の子どもたちの実態に合わせて、柔軟に教育内容を工夫することは、ほぼ見られません」

「つまり、学習指導要領に教員の意識が縛られていて、自由な発想が奪われてしまっているのです。目の前の子どもたちが社会の中でよりよく生きていくために何が必要なのか、多くの教員、教育関係者が自分の頭で考えることを忘れて、教科書をこなすことに終始してしまっていることが問題だと考えます」

「学習指導要領の存在自体が、教員の自由な発想を忘れさせて、『社会に開かれた教育課程』の阻害要因となっているのは、何とも不思議なことではないかと思います。

学習指導要領は、あくまでも、国が定める教育課程の大綱的な基準にすぎません。

教科書を使って授業を行っていますが、子どもの状況に合わせて、内容を加えて教えたり、教材を工夫して教えたりすることはいくらでもできるはずです」

「確かに北海道から沖縄まで、全国すべての自治体において、子どもたちが学べる内容を保障することは大切です。しかし、一方で学習指導要領の存在が、学校をどこか窮屈にしているように感じます。

この背景には、私も含め校長や教員が『考える』ことをやめてしまったことがあるのではないでしょうか」

現場だけでなく、教育行政にも関わってきた方の主張だけに、説得力もあります。

教職員の創意・工夫を励まし、実践意欲を助長しようとする姿勢がにじみ出ていた1947年版学習指導要領（試案）の精神は、今でも大事にされたいものです。教師の専門性が尊重され、教師がもっと自由に実践できるようにすることが望まれます。

ここに教育の希望と未来がある

書店の絵本コーナーで、『てん』（ピーター・レイノルズ著 谷川俊太郎・訳 あすなろ書房）という絵本に出合いました。教育とは何か、指導とは何かを深く考えさせてくれる素敵な絵本なのです。

主人公はワシテという女の子。お絵かきの時間が終わったというのに、椅子に張り付いているのです。だって画用紙には何も描いていないのですから。真っ白なままなのです。絵の担当の先生が図工室に入ってきて、机の上の真っ白な画用紙を覗き込んでワシテに声をかけるのです。その言葉が傑作なのです。「あら！ふぶきの なかの ほっきょくぐまね」と。すかさずワシテは、「やめてよ！」「かけないだけ！」と怒ったような調子で語るのです。先生はにっこりして、「なにか しるしを つけてみて。そして どうなるか みてみるの」と話します。ワシテは、画用紙に力いっぱいマーカーを押しつけて、「これで どう！」と言います。先生はその紙をじっくり見つめます。そしてその画用紙をワシテの前に置き、「サインして」と静かに言ったのです。ワシテは、少し考えてから、「いいわ、えは かけなくたって なまえぐらい サインできるもん」と言って、サインしたのです。

次の週のお絵かきの時間に図工室へ入ってみると、先生の机の壁に掛かっている額縁を見て、びっくりするのです。自分が記した、あのちっぽけな点が、立派な金色の額縁に入って飾られているではないですか。「ふーん！もっと いい てんだって わたし かけるわ！」と言って、今まで使ったこともない水彩のセットを開けて、ワシテはいろいろな色の点を描きまくったのです。大きな絵筆で大きな点を描き散らす。点を描かないで、大きな紙に点を作ることまでやってのけたのです。ワシテの点の絵は、学校の展覧会でも大評判になったのでした。

絵を描くことにやる気を失っていたワシテが、あれほど意欲的に変わっていく姿から、教師の対応・指導はどうあるべきなのかを深く考えさせられました。教育という仕事は強制では成立しません。子どもの内面から意欲が生まれるようにすることです。

一見まったくやる気の感じられないような子ほど、自分も友だちと同じようにできるようになりたいという強い思いを内に秘めています。だからきっかけさえあれば、今まで見たこともないような力を発揮するのだと思います。学習に対する「拒否」と「渇望」という一見矛盾した子どもの事実の中に、これからの授業や教師の指導が、どう変わっていかなければならないのかということが暗示されているように思います。

温かな眼差しや、やさしい言葉かけがあれば、子どもは自ら変わり始めます。ここに教育の希望があります。未来があります。

【5章の参考・引用文献】

（1）文部科学省『小学校学習指導要領』東京書籍（2008年）13ページ
（2）同右 16ページ
（3）文部科学省『小学校学習指導要領』東洋館出版社（2017年）17ページ
（4）同右 24ページ
（5）新村 出編『広辞苑 第六版』岩波書店（2008年）1327ページ
（6）見坊豪紀・他編『三省堂国語辞典 第五版』三省堂（2004年）562ページ
（7）鎌田 正、米山寅太郎『新漢語林 第二版』大修館書店（2012年）1060ページ
（8）新村 出編『広辞苑 第六版』岩波書店（2008年）2104ページ
（9）芳沢光雄『数学的思考法』講談社現代新書（2005年）3〜4、6、17ページ
（10）今泉 博『子どもの瞳が輝く 発見のある授業』学陽書房（1996年）82〜86ページ
（11）『(季刊) the 座』第14号（1989年9月、劇団「こまつ座」）16〜17ページ
（12）エレン・ケイ、小野寺信・小野寺百合子訳『児童の世紀』富山房（2005年）294〜295ページ
（13）工藤勇一『学校の「当たり前」をやめた。』時事通信社（2018年）73〜75ページ

Ⅱ部

「知識修得型」から「課題設定・解決型」の教育へ

住吉廣行

◎求められる教育手法の転換　―Ⅱ部で明らかにしたいこと―

社会人として巣立つ前の、最終段階の教育課程となる大学教育では何が求められるのか、Ⅱ部では、その現代的課題について論じます。大学入試に必要であった、正解のある入試問題を素早く正確に解くための力を養成する「知識修得型」教育から、正解の定まっていない問題を前にして必要となる「課題解決能力育成型」教育への転換が、大学教育では強く求められるようになっています。先行モデルとなる欧米に追いつき追い越せの時代には、「知識修得型」教育が適合していた手法であったかもしれません。しかし、先進国の仲間入りを果たし、逆に開発途上国から追い上げられる現在、新しいモデルを自分たち自身で創り上げねばならなくなりました。この転換に遅れたため、失われた10年が20年となり、30年にもなってしまいました。早く何とかしなければ、国力の低下が避けられないとの危機感が背景にあると考えられます。

ウクライナ戦争に影響され、他の主要通貨と比べても大きな下落率で円安が進行する事態を受け、渡辺博史氏は「日本の国力や将来性に対する経済の基礎的条件の弱さがマーケットに見抜かれている」と指摘しています。(1) ここでも国力という言葉が使われています。これを私なりに教育という視点から解釈すると、「偏差値を重視する教育では、日本国内での序列に大きな意味を持たせることになり、その結果、学生や保護者の価値観も、いわゆる内向き志向にならざるを得ません。このようなことに力を注いでいるようでは、グローバル社会で通用する人材は育ちませんと見透かされている」ということになります。

日本国内でのエリートになり、国内政治や経済面をリードしたい。こうした傾向が社会に蔓延すれば、社会全体が内向きになってしまうのではないでしょうか。しかしこの間海外では、地球温暖化問題をはじめグローバルな課題に直面し、先を見通した産業構造を展望したり、自国内には収まらない将来を見据えた対応を考えてきています。日本では前例踏襲、問題があっても国内向けの〝説明〟で済ましているためか、本質的解決に取り組むことができませんでした。国内では〝納得〟できたように見えても、例えば温暖化問題でも化石賞を何度も受賞するなど、世界で進行する事実に対しては無力です。そんなことはない、一面しか見ていないという声が聞こえてきそうですが、30年の遅れをこれ以上継続しないためにも、事実に即して考える必要があります。

① 研究活動をめぐる課題

研究においても、補助金などによる誘導で、〝やっている感〟を醸し出す、見せかけの対応が繰り返されています。「個々人の興味や関心に基づいた、底力を育む研究」は、目先の利益とは合致しないと判断されれば、葬り去られています。実際、限られた予算の分配において、分野を選択しそこに集中的に投資する方向が採用されています。「選択と集中」と言ってはみるものの、結果は、引用数がトップ10％に入る質が高いとされる論文数が、中国が米国を抜き1位になったのに対し日本は20年前4位、10年前6位、２０２２年の調査では12位と研究力の低下が顕著になっています。[2] 研究者は採択されそうなテーマにシフトせざるを得ない、予算を獲得するために申請書を書くのに時間を割かれ研究時間が不足する、補助金で雇った研究者は金の切れ目が縁の切れ目とばかりに研究の継続に支障を来す、など多くの弊害が出ており研究力低下の原因になっています。こんな状況では優秀な人ほど海外に研究の拠点を求めるのは必然と思えます。研究の活性化を実現できる方法がわからないからなのか、本当は実現したくないからなのか、あるいは両方かは不明ですが、研究者の自発的な動機に基づくテーマではなく補助金で誘導したテーマだけを優遇する政策に固執し、結局のところ研究の活力を低下させているとしか思えません。そうした近視眼的な志向が、大局的には「失われた30年」に象徴される衰退傾向に拍車をかけていると言えます。

② 教育活動をめぐる課題

教育面においても、現状を何とかしたいとかけ声は聞こえてきますが、「課題解決型」能力はどのように育成されるのか、その手法は？　また、それを支援するのに必要な課題は何か、どこに梃子《てこ》入れすれば良いのか？　など、不明確なまま混迷しているように思われます。「学生の学びへの意欲をかき立て、SDGsにも謳われている誰も取り残さない教育の推進」という視点から見ても、やはりどうすれば実現できるのかがわかっていないか、わかっていても必要な資金がちらついて放置しているのか、あるいは両方か、資源の乏しい日本では先行投資とも言える教育に対する予算の抜本的増強を抜きに実現したいとの願望が語られているだけです。実際「課題解決能力」を育む教育体制の構築は進んでいるとは思えません。

そこでⅡ部では、特に松本大学や短大部で実践されている取り組みを通して、これらの〝何とかすべき諸点〟に対する処方箋の解明を目指したい。

◎Ⅱ部の構成について

Ⅱ部は6章から10章の5つに分けられています。基本的に①「松本大学での、体験や実践に基づいた教育内容の紹介」と②「それらの実践活動から導き出される大学教育論の展開」という組み立てになっています。教育論として提案される「帰納的教育手法」が、現在喫緊の課題となっている「課題解決型」学修やアクティブ・ラーニングに対し、③「このようにすれば誰もが実現できる」という一つの回答となっていると思います。

それらは次のような構成で進められています。

6章では、理論物理を研究していた私が松本へ来て得た、それまでの生活では考えられない心に残る経験を「地域が持つ〝教育力〟への気づき」と題して紹介します。私の「理論物理から大学教育へのシフト」や「松本大学が地域に依拠して教育を展開できる」理由を語っています。7章では、「課題を設定し、解決する力の育成に向けて」のタイトルで、「大学教育の現状に対する問題意識」と私自身の初歩的取り組みから引き出された「地域社会の課題解決を軸とした教育改革の可能性」を提起しています。

8章の「地域と連携した松本大学の教育実践」では、大学の専門性を活かした教育活動の具体例をいくつか取り上げ、その内容を知れば、新しい教育手法の根拠となったことが肯けるようにしたいと考えました。この章は、松本大学が地域社会に果たしている役割の全容がCOC（Center Of Community）という視点でまとめられています。9章では教育論に入り、「帰納的教育手法の開発」と題して、松本大学が編み出した教育手法とその理論的枠組みの特徴を紹介します。ここでは「未知」を「既知」に変える活動という点において、研究と課題解決型の教育とが類似性を持つことを強調しています。この章の最後に、高等教育の在り方についてⅡ部のタイトルへの回答を用意しています。最後の10章では「今、教育に問われていること」と題し、Ⅱ部で示した大学教育での試みが、Ⅰ部の初等教育の在り方とどのように関わっているのか、つながっているのかについて考察しています。エピローグでは、異なる経験を持つ二人の共同研究が、「教育　ここが問われている」というテーマで、今後の教育改革への一助となることへの願いを認めました。

【参考・引用文献】
（1）「弱い円 際立つ下落」朝日新聞（2022年10月21日付）
（2）「研究者　なぜ日本から中国へ」朝日新聞（2022年12月18日付）

6章 地域が持つ〝教育力〟への気づき

長野県や、松本大学が立地する松本市を中心とする社会。この地域が持つ、全国でも際だつ特徴について認識を共有しておきます。というのもこれから説明しようとする、松本大学の「地域連携による課題解決型教育」がなぜ実現できたのかは、この地域特性の理解抜きには難しいと思うからです。理論物理を研究していた筆者は地域社会との交流を通じて、多くの経験を重ねることで徐々に把握できてきました。まずは読者にも疑似体験していただこうと思います。

松本大学は2002年4月に、「長野県」「松本市及び松本広域連合」と「学校法人松商学園」の三者が設立資金のおよそ1／3ずつを出し合って設立されました。それ以前の、学園にとって大きな出来事は、短大における経営情報学科増設でしたが、そこから10年の歳月が流れていました。大学設立に要した金額全体の2／3にも達する公の資金が導入されているため、大学関係者は私立大学でありながら当初から、地域が創ってくれたという意味で〝地域立大学〟と認識していました。いわゆる公設民営の形態を採ったのですが、その経緯から大学は「地域活性化に資する」「地域貢献を使命とする」必然性を持っていたと言えます。しかしながら、こうしたミッションは、まだ松本大学ができる前の松商学園短期大学時代からのものであり、財政的支援があったから急遽そのような使命を帯びたわけではありませんでした。言い方を変えれば、短期大学時代からそのような姿勢を貫いてきていたからこそ、公的セクターが大学創設に資金援助をしようと表明したことになります。地方にある数少ない高等教育機関であるから地域連携や地域貢献は当然だ、といった一般論を越えて、より深い結びつきがどのように形成されてきたのかを振り返っておきましょう。

少なくとも松商学園短期大学が、市街地から当時松本市の西の外れにあった現在の新村《にいむら》の地へ移転したとき、地元住民はやんちゃな若者が我が物顔の振る舞いをするような〝迷惑施設〟を受け入れたくないという姿勢を示していました。このようなマイナスの状況を克服するところから始まり、地域社会が大学を、また逆に大学が地域社会への信頼を、どのように醸成してきたのか。いくつかの事例から伺い知ることができます。そこには、大学が保持している資源を地域社会に一方的に差し出すという、いわゆる身を切る〝貢献〟ではなく、お互いにWin-Winの関係を築き上げる萌芽が見て取れます。

1　学生の教育に携わるのは教員だけではない

雪かき作業　―北風と太陽―

まだ大学ができる前の松商学園短期大学時代の出来事です。敷地も狭く校舎以外は、学生用駐車場はおろか2面のテニスコートと旧新村小学校の小さな体育館しかなかった頃のことです。少し離れた芝沢《しばざわ》小学校への通学路になっており、免許取り立ての学生が車を乗り回したら危険だということで、短大が新村の地に移転するに当たり、地元町会との間で自動車通学は禁止すると約束していました。しかし、公共交通網が貧弱で通学時間が長くなるだけではなく、日本で1、2を争う高額運賃を要するため、やんちゃな学生は大学に黙って自動車に乗ってきていました。学生委員会は学生の福利厚生の充実を図り、豊かな学生生活を実現する目的で設置されてはいるのですが、駄目なものは駄目と筋を通すのもその役目です。短期大学として地域社会と交わした約束を守ることも重要な任務ですので、ルールを破る学生を取り締まることになります。そこで事務職員とも連携をとり、あちこちに無断駐車する車の車両番号から持ち主を探り当てるという作業を粘り強くやることになりました。ここまでやるのも、個人病院の入口、火の見櫓の下、コンビニエンスストアやパチンコ店の駐車場など営業妨害や非常時対応を妨害するような場所に、「見かけない車が止まっているが、お宅の学生だろう」という抗議の電話が頻繁に入ってきていたためでした。時には短大生とは別人のケースもありましたが、大学としては地域社会に対して、何らかの対応を行っていることを示す必要に迫られていたのです。

そこで、「1回目に見つけた場合は学生委員長注意処分、2回目は学長注意処分、3回目になると1週間の停学処分という厳しい対応をしている」と、学生のみならず住民にも通知していました。こうした対応にもかかわらず、短大は学生といたちごっこを繰り返していました。卒業間際になると春季休みになってしまい、停学1週間という期間がとれず無意味になってしまいます。しかし何の咎めもなければ、逃げ得になってしまうため、〝教育的配慮〟から、道路の雪かきという重労働を課すことにしました。日頃苦々しく思っている大学周辺の住民への償いの意味もありました。処分の程度に応じ、重労働の日数を決め、雪かきすべき道路の範囲も地図上で「ここからここまで」と決めて各学生に言い渡したのです。まずは全員に、教員や来客用の学内にある狭い駐車場の雪かきを課したのですが、学生からは「自分たちを罰する教職員のためになぜやらなければいけないんだ」と不満の声が上がっていました。その後公道へ出て黙々と作業を始めたのですが、玄関の戸が開いて「有り難いけど、誰がやってくれているのだろう?」と覗いているのです。もちろん若い男女が短大生だと直ぐにわかります。若夫婦は共に仕事に出ているため、留守を預かる高齢者が、日頃は苦言を呈しているためか自らは出て行けず、孫に託して学生におにぎり、飲料水、あるいは少額の紙幣を紙に包んで渡してくれたのです。お孫さんは「ありがとう」「ごくろうちゃま」とお爺さんやお婆さんの感謝の言葉を伝えてくれました。日頃褒められたり、頼りにされた経験のあまりなかった学生は、教職員に対して見せた悪態とは打って変わって、俄然やる気を出しました。私も様子を見るため、学生が所属するゼミの担当教員の研究室に立ち寄ってみたら、ペナルティとしての日数をこなしている学生が「俺、明日も雪かきに来る、言われた範囲がまだ終わってないから、最後までやりきりたい」と言う。これにはゼミ担当教員も、いつも素直に言うことを聞かない学生なのに「いったいどうなってるの？」と驚いているのです。

教職員は罰を科し、北風を吹かせて力づくで矯正しようとしていたのですが、太陽の暖かい恵みを与えてくれた新村《にいむら》住民には脱帽せざるを得ませんでした。この時が、地域の方々が持っている〝教育力〟に頼ることの意義を実感した最初の経験でした[1]。

新村婦人部との交流

ソロモン諸島の元農業大臣のツツアさんが短大を訪問された時のことでした。新村公民館婦人部だけでなく、町内会関係者、地元選出市議、本学学生・教職員が集って、地元食材を使った婦人部御手製のおもてなしの料理で盛り上がりました。農業大臣だけあって安全・安心の食への関心も高く、婦人部の方々ばかりではなく学生も大いに感化されたようです[2]。

この交流会が契機となって婦人部から、若い学生さん達ともっと交流を持ちたいと申し出がありました。そこで、同僚の白戸先生と私のゼミ合同で新村公民館を訪問しました。婦人部の方々も張り切って、いろいろ趣向を凝らして下さっていました。「ぼんぼり花瓶」を作ってみませんかと、風船、和紙、糊、絵の具などを準備されていました。(3) 一通り作り方の説明が終わると「後ろに置いてある道具を各自持ってきて下さい」。しかし初対面である婦人部長の小野さんの言葉に、学生もどうしようかと戸惑い、じっと席に着いたまま動こうとしませんでした。間が持たなくて、私と白戸さんは目配せして、二人立ち上がって取りに行こうとしたのです。「何してるの、先生方！」と一喝。次に学生に向かって「あなた方は、先生に取りに行かせるなんてどういうこと、さっさと行きなさい！」とすごい剣幕で叱ったのです。気まずい空気が流れたのですが、作業をひとしきり終えて「ぼんぼり花瓶」を完成させた後、その出来映えを互いに評価しながら、これまた用意してくれていたご馳走をみんなで頬張りました。学生達は、小野さんをはじめとする婦人部の方々の本当の優しさに気がつくまでに時間はかかりませんでした。私も白戸さんも「こんなにきつくは、なかなか言えないよね」とただ舌を巻くのみでした。本気の愛情が不足していたということを思い知らされた出来事でした。

その後も海外からの公民館視察で訪問された方々を共同で受け入れたり、公民館学会の開催などでも町内会とも協力して実施しました。その度に、学生との交流も当然のように深まっていきました。ところが、その何年か後に、小野さんが突然他界されました。その葬儀にはゼミの学生だけではなく、交流のあった多くの学生が自主的に参列し泪するという事実が、彼女がどれだけ慕われていたのかを物語っています。

大学側でも居直って、「今やらなければこの学生達が将来社会に出た後で、同じように叱らなければならなくなるだろうから、遅いか早いかの違いだけですよ」などと笑いながら冗談を言えるような関係にはなっていたと思います。婦人部との交流により、何に対しても真摯に向き合うことの大切さを学ぶ他に、「そういう言い方はないでしょ」と尊敬語や謙譲語、丁寧語の使い方なども婦人部は厳しく指摘してくれていました。「コミュニケーション論」や「話し方技法」などの授業科目を設定し、大学で教えるよりも、ずっと手っ取り早く、言葉遣いもマスターすることができたと思います。おかげで、そのような科目の設定は考えずに済みました。

2　ボランティア活動の意義　―社会との接点がもたらす効用―

松本城400年祭りでのボランティア活動

不登校気味で、何をどうして良いのか自身でも迷っており、このまま推移するなら退学につながってしまうような二人の女子短大生がいました。ゼミ担当者は親身に接し、興味を示しそうな分野をいくつも提示してみたのですが、どれにも乗ってきません。半ば匙《さじ》を投げている状態にありました。こんな時、たまたま松本城400年祭りが開催されるとあって、夏休みを利用してのボランティア学生が募集されていました。これに行ってはどうかと勧めてくれたのが白戸先生で、松本市関係者に話を通してくれました。短大生たちは、毎日とは言わないまでも、頻繁に出かけたようです。いろいろな作業に携わったようで、休み明けには日焼けした顔で元気に登校してきたのです。大人の方々との会話から、多くを学んだのでしょう。休み前とは見違えるような、元気な姿を見せたのです。協働で何かを成し遂げる楽しさ、自分の活動が他の方から評価されている実感、こうしたことを通して、短大で学ぶことの意味、これからの自分の生き方なども考えたのだと思います。このボランティア活動は、短大生にとって新鮮であり、ひょっとすれば人生観をも変える大きな価値を持った経験になったと思えました。

当時阪神淡路大震災があり、ボランティア元年と言われていた頃だったので、私も学生のボランティア活動を評価して、単位を付けたらどうかと提案してもいました。しかし、件のゼミ担当を含め、文字通り自発的だからこそ意味があるのに、単位なんか付けたら台無しになると反対意見が強かったのです。単位を付けるにはアカデミズムから逸れているという感覚もあったのでしょう。やむなく私も引き下がっていたのですが、この学生の変わり様を目の当たりにしたゼミ担当も、ボランティア活動の意義について驚くと同時に、積極的に認め、賛意を示すように変化したのです。その結果「社会活動」という授業科目が設けられ、これを機にボランティア以外の活動も活性化していきました。今でこそボランティア活動等に単位を付ける大学や短大は多く見かけられますが、当時は最先端の課題だったのだと、今になって思い起こしています。

地域づくり考房『ゆめ』の設立へとつながる

ある程度事情を飲み込んで対応して下さる人たちに囲まれていたとはいえ、社会との接点が学生を変える、学生は地域の中で多くを学ぶ。このボランティア活動からも、教職員は自分たちだけが学生を成長させているのではないことに気づかされました。この気づきから、8章6節で紹介する、学生が主体となった地域社会の窓口となる「地域づくり考房『ゆめ』」の設置へとつながったように思います（247ページ〜）。学生の自治活動である学友会活動の活性化[4]もあいまって、取り組まれていた自主的なボランティア活動の拠点に、『ゆめ』も加わることになったのです。

3　特色GPに採択　—教職員に芽生えた確信と自信—

2002年文部科学省は、研究で特色を出している大学に財政的支援を行う取り組みを実施しました。これには私学側から、教育に対してもきちんと評価し、支援を求める声が上がったのです。こうした強い要望を受けて同年夏頃、次年度には特色ある大学教育支援（特色GP、

178ページ参照）プログラムを実施することが決まっていました。(5)

特色ある大学教育支援プログラム（特色ＧＰ）への申請の動機

この報道がなされた時点では、松本大学は〝地域立大学〟との認識から、既に地域社会との信頼関係を築き上げ、地域社会の活性化、地域貢献活動等、実に多彩な活動を展開していました。松本インターから5〜10分の好位置にあり、駐車場も広く、県内の各所から集まるには好都合で、しかも大中小の教室、ＩＴ機器の装備、コピー・印刷機など行事を行うのに必要な機材は全て揃っています。こうした条件を活かしての施設貸し出しや公開講座の開催に加えて、ボランティア活動、サポータ教育制度（地域で活躍する方々を教育サポータとして登録し、必要に応じて授業に招いて講演・実演などを実施していただく制度）の確立など、実際に行っている幅広い活動内容にはそれなりの自信を持つに至っていました。しかし、それまで全国の大学や短大と比較する機会もなく、それ故比較しようとする意思もありませんでした。それが、こうした機会が巡ってきたので、これはチャンスだと直感しました。私達が実施している地域と連携した教育活動の良さを広く知ってもらいたい、これが最大の動機となりました。早速何が何でも採択されるのだとの強い思いから、小学校・高校の教諭、公民館の方、県や市の教育委員会の方、白戸先生、私などが集まり、大学内での討議、所を変えて浅間温泉において合宿を組んで対応しました。この時の率直な議論を経て、実際我々が地域連携と称して何をやっているのかを深く認識できたと思います。地域との連携活動をあまりに広く実施していたため、自身でもいったい私達は何をやっているのか明確に主張できていませんでした。これをKJ法（情報を整理する方法の一つ。カードや付箋等を用いて情報をグループ化したりする）を利用するなど、内容によって分類し、その本質を掴み直し、はっきりさせることができたのです。

申請に対してはもう一つ理由がありました。松本大学や短大部の学生が、課題解決に向けてフィールドワークを行っているところに、地域紙の取材が入りました。独居老人の庭に、捥《も》ぎ取れない柿の実がたわわに稔っていました。こうした風景はあちこちで見られたのですが、学生はこの柿を利用して何か製品に加工できないか、それを地域おこしに活用できないかと考えていたのです。くっきりとした青空に鮮やかな柿色が映え、学生が木に登って柿を捥《も》いでいる写真が掲載されました。これを報道する新聞記事を見て、「松本大学の学生は机に座って勉強ができないので、学外へ出て木に登らせ柿の実を採ったりして時間を潰し、単位を付けているんだ」と、心ない批判の声が聞こえてきたのです。地域連携活動に熱心な白戸先生は、「学生の成長を考えてのことなのに、そこまで言われるなら、大学のためにもならず、やめた方が良い」と肩を落としていました。この頃、多くの教員が課題解決に向けて、地域をフィールドに実践活動を展開していたのですが、こうした誤解を解消しなければ、大学の生き残りも考えられません。このような経緯もあって、申請に向けて背中を押され、また反骨精神もあってまとめ上げたのが、後述する「帰納的教育手法」による松本大学の教育体系だったのです。大学教育を評価する最初の「競争的資金」は、特色ある大学教育支援プログラム（略称は「特色GP」、ここではGP＝Good Practice）と呼ばれ、私達は、『多チャンネルを通して培う地域社会との連携─地域社会で存在感のある大学を目指して─』というタイトルで申請し、見事採択という結果を得ました[6]。長野県では唯一の採択であったため、新聞、TVにも大きく取り上げられました。ある程度手応えは感じていたのですが、現実に自らの教育活動が全国規模で見ても、かなり高いレベルにあると認められたので、「やってきたことは間違いない」「全国モデルになっている」と、大学教職員は大きな自信を獲得できました。採択理由でも、実に多種多様な実践活動が展開されているだけでなく、理論的にもしっかり裏付けられていることが評価されたとありました。理論化への評価に、理論物理が専門の私は嬉しくなりました。

この「特色GP」は、過去の実績に基づいて申請することが条件となっており、松本大学は開学してわずか1年しか経過していなかったため難しく、松商短期大学部からの申請となりました。もちろんその教育内容や教育手法は、大学でも踏襲されており、短大・大学挙げての快挙でした。国立大学を差し置いての採択だったためか、先の心ない風評は知らない間に消えていったように思います。この意味で、「広く知ってもらう」「誤解を解く」という二つの目的は、難関を突破しての採択で十分に達成できました。

全国デビューと教職員の前向きな姿勢への変化

採択校は、その実績を全国に発信するため、東京と大阪で採択内容を発表する義務を負いました。これも地方の大学としては初めての経験でしたが、全国の教育関係者の関心は非常に高く、私達の展示ブースにも多くの短大・大学のみならず高校の先生方の訪問もありました。教職協働の取り組みであったため、訪問者には教員だけではなく職員も説明に携わりました。このため「本学の取り組みへの成果に高い関心が寄せられていること」を教職員全体で実感することができたのです。「どうすればこのような大学を挙げての取り組みができるのか」「実施に当たっての教員と職員の関係は」「地域社会の果たす役割は」など質問は多岐にわたりました。自分たちが日頃当たり前のようにやっていることが、必ずしもどこの大学でもできているわけではないことなど、新たな〝発見〟も多く、自学を客観的に判断する機会にもなりました。

ＧＰ採択を契機に、学生のフィールドワークを積極的に支援するため、大（50人）中（40人弱）小（20人程度）のバスを導入しました。教員がいちいちバス会社と折衝しなくても、大学のバスが空いてさえいれば、いつでも学生を移動させる機動力の確保ができたのです。また日頃からあれば良いと思っていた備品なども、援助された資金で購入することができたのです。

初めての「競争的資金」であるＧＰに県下で唯一採択されたことのメリットは、教員と職員の一体感を醸成し、次の課題に向けても大学の良さを積極的にアピールしていこうという前向きな姿勢に変化していったことにありました。さらに、県内高校教員の松本大学や松商短大部を見る目にも変化が出てきたと実感することができたのです。この勢いが大学のその後の、相次ぐ定員増、学部増や大学院設立といった躍進にもつながっていったと思います。この意味では特色GPの採択は松本大学や短大部にとってエポック・メイキングな出来事で、その後の学園運営にも多大な好影響を及ぼすことになりました。

【6章の参考・引用文献】

(1) NPO法人オンデマンド授業流通フォーラム 大学イノベーション研究会編『地域に愛される大学のすすめ』三省堂(2011年8月)

(2) 住吉広行「ツツアさん、婦人会と学生の交流」市民タイムス(1997年8月5日)

(3) 住吉広行「ぼんぼり花瓶づくりと地域交流」市民タイムス(1999年6月30日)

(4) 住吉広行「松商短期大学における学生生活支援体制の到達段階と課題」『松商短大論叢』第50号(2001年3月18日)99〜147ページ

(5)「教育の質『トップ100』選別 文科省、重点助成へ」朝日新聞(2002年8月19日付)

(6) 住吉広行「文部科学省『特色ある大学教育支援プログラム』に選定された『多チャンネルを通して培う地域社会との連携 ―地域社会で存在感のある大学を目指して―』」『地域総合研究』第3号、松本大学(2003年10月)25〜48ページ

7章

課題を設定し、解決する力の育成に向けて

―大学教育の課題―

「知識修得型」から「課題解決型」への転換という現代の教育的課題について、松本大学や松商短大では何を、どのように考え、高等教育のあるべき姿を追求しようとしていたのか。前章のような地域社会との出会いは、その後の大学教員としての軌跡に影響を与えました。大学や短大として受け入れた学生を前に試行錯誤を繰り返す中で、20年以上も前に私自身が抱くようになった大学教育への問題意識に対し、この経験がどのようなアプローチを採ることにつながっていったのか。本章はこれらを示すための導入になっています。

まずは、知識偏重の教育・偏差値による序列化の限界と、それを変えようとする試み（大学入試を梃子《てこ》に推進しようとする試み）の難しさについて述べます。次に、私が持ち続けた問題意識と、それに対するアプローチの方法確立へ向けた取り組みについて詳しく説明します。

1　追いつき追い越せの時代を超える　―偏差値至上主義の限界―

戦後の復興を支えた、世界に追いつけ追い越せという目標

目の前に設定された目標を達成するために、言われたことをよく理解し、黙々と正確に遂行できる。こうした人達によって、また勤勉な国民性もあいまって、日本は戦後の焼け野原から驚くほど早く復興し、経済発展が遂げられました。到達すべき目標は誰の目にも明らかで、所得倍増など生活の向上を目指して、例えば、より安価でより良質な製品を大量に生産し、広く社会に行き渡らせる、誰もが安心して住みよい住宅に入れる、といった社会モデルを描き実現する、などがそれです。これは正解のある試験問題を前にし、なるべく早く正確に解いてみせることと、どこか通じるところがあります。

この戦後の成功体験からか、あるいはもっと遡るのか、いつしか「試験で高得点をとれる人となる」ことが目標となってしまった感があります。こうした人こそが「優良企業に就職し、出世し、より良い生活を送ることができる」という信念、これが現在でもはびこる偏差値至上主義の実態ではないでしょうか。

追いついた後の目標は

しかし、追いつくという目標を達成した今日、目の前に〝正解〟はありません。自らビジョンを描き、将来を切り開かねばならない時代に入っています。だが、これまでの教育スタイルで新しい事態に対応しようとしても無理がありました。この無理を克服できなかったのが失われた10年、20年、30年です。

このまま年を重ねても、失われた年月がただ増えるだけです。ゆえに、これを打破することが焦眉の課題となり、その解決が大変急がれているのです。しかし「言うは易く行うに難し」なのであり、多くの方々の認識は一致しているように思えますが[1]、具体策になるとなかなか解は見えてきません。それも当然のことで、「このままではいけない」と意識はしているのですが、30年掛けてもできなかったことが、「改変したい」と願って口にしただけで対応できるわけはありません。もちろん言わなければ始まりませんが、にわか仕込みはいずれほころびが出るものです。

グローバル化の時代にあって、日本人の中における偏差値序列の順位にどれだけの意味があるのでしょうか。偏差値の高いことは、世界を相手にどれだけの効力を発揮するのでしょうか。通用するのは確かな〝学力〟〝実力〟であって、試験問題が早く正確に解ける能力でないことぐらいは、今では誰もが認識できているでしょう。それゆえ誰もが改革を求めているのですが、急ぐからこそじっくりと腰を据えて取り組まなければ実現できません、それくらいの時間スケールで考えるべき、教育界最大の課題の一つだと思います。

価値観を変換する難しさ

ＳＤＧｓの17ある目標のうち、４番目に「質の高い教育をみんなに」があります。これを巡って、中高生と大学生とが文科省や国会議員に改善すべき点を提言しています[2]。その中で、「先生が黒板に書いたものをノートに書いて、テストに出るからと暗記することが求められる。もっとディスカッションなどが必要では」と高校生が質問しています。ここにも、暗記、高得点、高偏差値を求める現在の教育のあり方とその問題点が、如実に映し出されていると思います。知識を詰め込んで暗記し、テストで高得点をとるというような教育は、高校生にも質が高いとは思われていないようです。

しかし、偏差値重視の価値観から脱却し、高校生も提案しているディスカッション等を伴ういわゆるアクティブ・ラーニングを取り入れた課題解決型の質の高い教育を実現するには、①脱偏差値への新しい取り組みを実践できる教育人の養成など教育する側の体制の準備、②ステークホルダーの「新しい教育手法で確かに成長できている」という安心感・納得、③「基礎的知識の獲得」と「創造性を伴う課題解決力」の両立可能性、④偏差値に代わる教育成果の評価指標の開拓、⑤教育プロセスの見える化等々克服すべき課題は多岐にわたるでしょう。ちょっと考えただけでも、小手先の対応の積み重ねだけでは乗り越えられない大きな壁が見えてきます。だから、かけ声だけではそう簡単には変わらない、変われないのです。その難しさの一端を、大学入試との関連で見ておきましょう。

大学入試問題を梃子に教育内容を変換する試み

特に④に関連して、知識偏重の教育からの脱却を、大学入試を梃子《てこ》に推進しようと試みられています。入試問題の内容を変えれば、それに連動して教育内容も変わるはずだと考えることは、確かに現状からはもっともらしく、有効な手法と思えるかもしれません。しかし、もしこの考えを是としてしまえば、高校までの教育は、少しでも良い（偏差値の高い）大学への入学を目指すためのもの、入試対策でしかなかったと認めることにもつながりかねません。

I部でも見たように、知識修得型の教育が、子ども達の好奇心や興味に基づいた学びへの意欲を阻害している可能性すらあるのです。大学入試に「課題解決型」教育の推進役を背負わせ、結果を点数化し相変わらず序列化に使おうとしているのですが、その難しさが露呈しました。「課題解決型」教育の成果を見ようと、正解が一義的ではない論述式の問題を課し、相変わらず試験の点数で評価しようとしたのですが、採点の公平性、採点に要する時間が膨大だなど技術的問題もあり、回避されました。論述式の問題は、各大学で実施されている試験では既に広く採用されているのですが、全ての受験生に課さなければ不十分と考えたのかもしれません。共通テストへの英語4技能を問う問題も、学ぶ機会の地域間格差、経済格差、採点の難しさ、などの理由で導入は断念されたのです。

通常の授業において目指す力を育成すれば良いだけなのですが（と言っても実現には前に見たようにいくつもの困難が伴います）、入試問題として出ないのであれば、教える必要性から見て重要度が下がり、後回しになってしまう。このことを暗黙の内に認めてしまっているかのようです。これが根強くはびこる偏差値による序列化の悪しき実態でしょう。

2　なぜ学ぶのか、やらされ感では伸びない　―興味・関心を学びの駆動力に―

賢くなんかなりたくない　―勉強は苦役か、教材・課題の重要性―

筆者は、1995年4月から2005年5月まで、松本市に本社のある「市民タイムス」というタブロイド版の地域紙に「白いキャンパス」と題したコラムを担当していました。その中の一つ「賢くなんかなりたくない！」(3)を執筆した時の子どもとの何気ないやりとりです。小学校低学年の娘の友達に次のように話しかけたら、興味深いやりとりになりました。「もっと勉強しないといけないね～」「何で？」「勉強すればもっと賢くなれるよ」「え～、賢くなんかなりたくない！」「どうして？　いろんなことができるようになるよ」「賢くなったらもっと勉強しないといけなくなって、遊べなくなるから」。これには苦笑いでしたが、子ども達の正直な声かもしれません。学ぶことが、いやなこと、楽しくないことと同列に捉えられ、苦役になってしまっているかのようです。これでは生きるために必要な知力も付かなくなってしまいます。子ども達にとって勉強することは、試験で良い点をとることと同等で、そのためにはがむしゃらに暗記したり、ドリルをこなすことが求められると思い込んでいるようです。先の高校生の質問にも如実でした。そこには知る楽しみも、知った時の驚きも感動も生じているとは思えません。やらされ感でやむなく机の前に座っている、「勉強しろ」と言う親を喜ばせるためでは、遊ぶ時間を削ってまでやることではない、時間の無駄だと思う方が健全なのかもしれません。逆に言えば本当の学力は、自分の興味・関心に動機づけられて、「なぜ・どうして」を「なるほど」と納得していく驚きと喜びのプロセスの中で身についていくのだろうと思います。この意味では、学ぶ主体が「なぜ・どうして」を持ち続けるようにできる、教材であったり課題が重要な意味を持ってくることが理解できるでしょう。これは教育のあらゆる段階で、同じように工夫を要するテーマではないでしょうか。主に初等教育を扱ったI部においても、教材発掘の苦労を含め、繰り返し説明されていたので思い起こしていただければと思います。

さてここで、自ら考える課題に挑戦させたいという問題意識に基づき、私が短大生を対象として取り組んだ内容をいくつか紹介します。

選挙制度に関するプログラミング

当時私達のような社会科学系の分野で教育活動に携わる短大で、「学生が自ら進んで学び、楽しみながら何か達成感を感じ、成長を実感できるような教育」はできないものかと考えていました。これは、高校教諭から発せられた言葉が重くのしかかっていたからです。「私達が貴短大に送っている生徒は、偏差値では真ん中くらい、世間のマジョリティです。この学生を育てられないようでは貴学の存在価値はありませんよ」。そこで趣向を凝らした学びの展開に注力しなければと思うようになっていたのです。

「情報」担当のゼミナールに所属した学生に向けて、情報処理国家試験Ⅱ種に向けた学びと共に、社会性を持たせようと「一票の格差を是正するような選挙区割りをコンピュータで自動的に決定するシステムづくり」を試みました。梓《あずさ》乃《の》森祭《もりさい》という大学祭での研究発表は、地域紙にも1面で大きく取り上げられ[4]、学生がインタビューを受け、有識者の反応も掲載されました。マスコミ報道に反応したのは学生だけではなく、保護者からも「親戚にも見てもらうため、新聞を大量に買いました」と、喜ぶ顔を見せていただきました。

九州大学での日本物理学会の時に、「最近、理論物理の論文でなく、短大生相手にこんなこと[5]をやっているんですよ」と、後のノーベル物理学賞受賞者の益川《ますかわ》さんに見せたことがありました。サラサラとめくって「住吉さん、面白いことやってるねー」と褒められました。ゼミ生には「ノーベル賞候補の先生に褒められたよ」と報告しましたが、当時はまだ受賞前だったので、知らない人の言葉としか受け取れなかったようです。受賞後なら違った反応だったでしょうが。

この論文は研究に携わったゼミ生との連名で発行したかったのですが、「教員の研究成果を発表する神聖な論文集に、学生の名前が載った論文が掲載されれば、権威の失墜を招く」という主旨の反対意見が強く、やむなく学生の名は謝辞に回さざるを得ませんでした。しかも「専門分野でない教員が憲法関係の論文を執筆するなんて」という雰囲気もあり、論文ではなく研究ノートして発刊することになりました。しかし反応は驚くほど大きく、大手私学の研究者からは「講義で資料として使わせていただきます」とか、長野県出身の憲法学者の芦部《あしべ》信喜《のぶよし》氏からは、「短大生と共によく仕上げられました」と労いやお褒めの言葉をいただいたのです。

こうした成果にもかかわらず感じたのは、選挙制度のような大きな課題だったので、プログラムを創り上げ、マスコミにも大きく取り上げられ、高名な先生方にも褒められたという達成感・充実感はあったのでしょうが、「自分たちの生活感覚とはマッチしなかったのかもしれない」というものでした。その意味では、ゼミ選択でそのテーマで学びたいという学生が比較的多く集まり楽しんでもいたと思うのですが、1000行にもなるプログラムを組み立てなければならず、短大生にとってはあまりにハードな取り組みでもありました。実際期末の試験を終えてから卒業式までの間にも、他の学生が楽しく卒業旅行などを計画している時に、入れ替わり立ち替わり大学に出てきて、それぞれの担当部署の最終調整を行っていたのです。このため、卒業研究だからという「義務感」や「やらされ感」のある取り組みにもなってしまっていたかもしれないと感じる面もありました。成果は、本人の名前と共同研究者名の刻まれた、ハードカバーの冊子となって、卒業式の日に手渡されましたが、喜びと共に本当に短期大学で良く学んだという充実感が見て取れたのです。母から「あんた、いったいどうしたの？　短大から帰ってすぐに部屋に入り、ずっと勉強しているなんて！」と言われていたんですよと、笑いながら報告してくれる、もうすぐ銀行勤めとなる卒業生もいました。

時刻表と運賃　―より身近な課題設定―

もう少し学生の毎日の生活に関連するテーマはないかと考え、その後に取り組んだのはＪＲの運賃に関してのプログラミングでした。Ａ駅からＢ駅に出かける時、「ＡからＣ」「ＣからＢ」と途中Ｃ駅で分離して購入した方が、「ＡからＢ」と直通で買うより安くなる場合があるので、Ｃ駅を探し出すプログラムを創ってみました。幹線と地方交通線があること、乗客数の少ない路線は運賃が割高になっているなど運賃体系の複雑さにも気がつきました。もちろんなぜ「Ｃ」のような駅が存在するのか、ＪＲの運賃体系についても考察は怠りませんでした。

こうした研究成果を、ここでも梓乃森祭にパソコンを持ち込んで展示し、見学者に実際に、画面をクリックするという簡単な操作で試みてもらいました。孫に会いに行くのでやってみようというお爺さん。「おめでとうございます、C駅が見つかりました、○○円お安くなります」などと表示されます。「へー、どうして?」などの反応があります。「今度会いに行くとき、今日の結果を見て購入してみます」といった声もかけていただいて、学生は満足そうでした。プログラミングに関する学びの成果が、少し生活実感に近づいたことで、自分たちが何をやっているのかが十分に理解できていたように思います。

上高地線のダイヤ改正案作成 —日頃感じる不便の解消を目指して—

もっと身近な課題として、大学の前を通る上高地線の時刻表を自分たちで作成する試みを行いました。大学の講義終了時刻にちょうど良い電車が来ない。JRとの接続で待ち時間がかなり長い時があり不便だ。こういった学生の苦情から、それならどうすれば解消できるか考えてみようというのが設定された課題でした。新しい独自の時刻表をつくり、アルピコ交通に持ち込んだりもしました。(6) 通勤・通学のことに配慮したり、単線なのですれ違う駅が必要であり、それがどこなのか、毎日自分たちが使っている路線なので、興味は尽きなかったようです。また運賃も全国で最も高いと言われていたので、運賃の改訂版も提案してみました。

階段の上り下りを考慮した乗り換えに要する時間を実際に測ってみて、JRとの接続のための待ち時間の分布も取りました。新しい時刻表では、増便も取り入れていたため、劇的に改善されていました。大変便利になることがわかったのに、なぜ実現しないのだろうか？　討論も繰り返されました。例えば、①松本発の終電を少し遅らせれば、もう少し街中で飲んでいる時間が増えるのにと考えた時、それではタクシー会社から苦情が出るかもしれない、②増便のため雇用すべき運転手の数が増えるので、人件費が増え経営に影響する。また、③自家用車をやめ公共交通を利用する人数を増やさなければ、運賃問題も解決しないだろう、など経済・経営の仕組みにも思いを馳せることができたように思いました。

しかし、利用者を増やす理由として、自家用車で走り回るよりは二酸化炭素排出量を減らすことも可能だろうと、ドイツのフライブルクなどで取り組まれているパーク・アンド・ライドの学びにもつながりました。松本市役所ではノー・マイカーデーを設けていることにも気づいたのです。時刻表作成というテーマを越えて、日頃気がつかなかった環境問題など関連する数多くの社会的課題にもウィングを拡げることができました。それでもそもそもの課題設定は、学生の要望を先取りした教員側からの提起であり、学生は途中でアイデアを出し合うというレベルにとどまっており、この点からもまだまだ不十分な到達段階でしかありませんでした。

3　金沢工大の基盤づくりに学ぶ　―ロボコン参加と教育システムの構築―

金沢工業大学の取り組みを知る

　このような試行錯誤を繰り返していた時、金沢工業大学の取り組みを紹介する書物に出合いました。(7) ロボット・コンテスト（以下ロボコン）に出場し、強豪大学を抑えて勝ちたいという目標を持った学生たちへのアプローチが記されていました。いつでも自由に出入りできる夢工房という場が設定されています。ここを拠点に、勝てるロボットづくりに意欲を持って励んでいる。勝つための工夫を凝らすには、数理系の書物を読まねばならず、理解するには少々難解な数式もこなさなければなりません。一方では、基礎教育への支援を強化するために、いつでも相談できる教員挙げての組織的な支援体制（工学基礎教育センター）をつくり上げており、質問に来る学生に対し、理解できるまで対応していたのです。学生も勝てるロボットづくりに必要だからと、必死に学んでいるのです。

ロボコンを梃子に自発的学びを誘発

　このどこに感心したのか。「ロボコンに出場して勝ちたい」という学生の強い欲求に基づいて、複雑な数式も理解できるように学生の基礎学力も向上させる。「これを学べ、学ばなければいけない」などと言われるからではなく、勝てるロボットに改良するには技術面はもちろん、「深い理解が必要なので、もっと学びたい」と自らを駆り立たせているのです。納得するまで追求して得られた学力は、ロボットづくりだけではなく、その後の勉学生活にも確かに活かされるでしょう。学生の意欲に基づいて学び、自ら設定した課題（ロボコンに勝つ）を解決するために創意工夫し、とことん追求する。もちろん一度コンテストに負けたからといって、その熱が冷めるわけではありません。もっと上を目指してさらに挑戦する。こうして学生の目標達成への意欲が支配する学びの場が、大学の中に形成されていると感じたのです。私が求めていた、理想の学びの空間のように思えました。こうした空間が創造できていれば、学生がロボコン以外のテーマを見つけた時にも、蓄えた力を発揮できる可能性は期待できそうです。こうした基盤の上に、次は新たな課題を自ら発見し更なる展開を開花させられるのか？　そこへの接続がテーマにはなるのですが、この点にこそ大学教育本来の面白さや、醍醐味があると思います。

4　観光県長野でのグリーンツーリズムの探求

金沢工大の取り組みに触発された私自身の認識の深まりもあって、新しい方向性を模索したのが、長野県におけるエコツーリズムへの取り組みでした。

長野県における観光のあり方を考える

学生に「信州を舞台にした観光で地域おこしを考えるとすれば、どのようなアイデアを思いつく?」と聞きました。「東京よりもっと広い面積のディズニーランドを誘致する」「USJのような大規模施設を」など、都会に憧れる若者らしい意見が圧倒的でした。それに対して「都会の施設が国内だけではなく海外の観光客を含め、どれだけ多くの人を対象に成り立っているのだろうか?」「そういう施設を求めて、わざわざ長野県にやって来るか?」「そうした公園はお金をある程度積めばつくれるかも知れないが、北アルプスはつくれるか?」などと疑問を提起する内に、長野県での観光振興は県が持っている観光資源を駆使した内容で勝負するべきだと収斂していきました。そこで、観光県長野では、地の利を活かしたテーマのツーリズム、中でもエコツーリズムやグリーンツーリズムによる振興という認識に落ち着きました。

実体験を伴う調査活動 ―安曇野編―

短大部でも問題意識に基づいた研究的要素を持つ学びを、ゼミとは別に、選択の授業科目として設定していました。研究テーマは教員が設定し、受講者が決まった後、細部は相談しながら展開するという、当時としてはユニークな科目でした。

土日祝祭日を利用して、安曇野《あづみの》に調査に入りました。穂高駅前のレンタサイクルショップ〝ひつじ屋〟と連携し、自転車による観光ルートの開発を試みました。山がちな地域なので坂道も多く、電動自転車がどれくらい効力を発揮するか実際に乗って回ってみました。池田町で農家民宿を経営し、グリーンツーリズムを実践している〝あぶらや〟を訪問し、集客の方法、利用価格、広報活動など、民宿経営が成り立つのかを、学生目線から尋ねました。子ども達に利用してもらう時は、竹を割って作った樋《とい》を利用して流しそーめんをこんなふうにやっていると、実践もしていただきました。ラベンダー畑に入り紫色の花を摘んだあと、「このような香り漂うスティックづくりも教えているのです」と、農家ならではのアクティビティも売りになっているとのことでした。こうした先進的な活動に触発されて、フランスにおけるより本格的で大規模な取り組み(8)を調べました。バカンスを利用した旅行者向けの大々的なガイドブックの発行など、グリーンツーリズムを本気で振興しようとすると、どのような政策が必要か、財政的支援や制度上の問題等も認識でき、より深く考えることができたのです。

安曇野ちひろ美術館では、館内においてコンシェルジュの役割（資料１a）も任せていただいたのですが、観光客から、例えば「この近くでおいしい蕎麦屋さんは？」など多様な要望があり、全てに応えることが難しいことにも気づかされました。もっと地域を知らなくてはと、さらなる学習に力が入ったのです。ちなみに、館員の方々は近くに蕎麦屋さんが開店すると必ず食べに行っていると聞かされ、その徹底ぶりに驚かされたものです。

ちょうど国営アルプスあずみの公園ができる頃でもあり、学生がヘルメットを借りて、まだ工事中だった公園内に視察に訪れ、運営の構想をお伺いするとともに様々な提案も試みていました（資料1 b）。新潟県に同様の公園ができていたのですが、それに負けないように多くの方々に訪問していただけるような工夫はできないか？ アイデアが求められました。エコにも関心があったため、太陽光発電、風力発電、バイオマス発電それに小水力発電などを揃え、小学校や中学校の生徒などが環境問題を学ぶ時に見学に訪れるように、教育委員会と提携したらどうか。県下の市町村から生徒が来るだけで、かなりの入場者になる上に、これからの再生可能な自然エネルギーを考える上で良い体験の機会となるという提案もしてみました。小水力発電に利用するのは水田に引く用水となっている小川で、そこに機械を設置すると、農家から水

資料1　グリーンツーリズムと雑誌

(a) 取材を受けるコンシェルジュの取り組み

(b) 国営アルプスあずみの公園の調査

(c) 特別研究の卒業論文

資料2　南信濃におけるグリーンツーリズム

（a）天竜川沿いの茶畑

（b）関さんとの懇談

（c）天龍村役場にて

を汚すとクレイムが来る可能性があるので難しい。国交省の許可を取らないといけないが全国初であることによる困難もあると説明を受けました。また敷地内にクララを繁殖させ、それを食草とするオオルリシジミという絶滅危惧種となっている蝶を繁殖させようという構想も伺いました。この件に関しては周辺の集落にも引き継がれ、今では地域挙げての取り組みとなっています。学生の意見も聞いていただいた公園づくり、安曇野のここが見どころなど、一連のフィールドワークや訪問調査は1年半に及ぶ研究の成果として冊子[9]（資料1c）にまとめられました。

実体験を伴う調査活動　―南信濃編―

飯田市にある新葉社で雑誌[10]の編集などを手掛

けていた矢沢律子さんには、南信濃で実施されているグリーンツーリズムの調査に多大な協力をいただきました。売木《うるぎ》村で開発された摘み草料理では、高齢者が食材収集に携わるなど雇用機会の創出にも注意が払われていました。コスモスの花の天ぷら、スベリヒユの味噌和え、こんな道ばたに生えている草花が食材になるのかと、あり余る商品に囲まれて育った学生には驚きの連続でした。天竜川沿いの崖の斜面（資料2a）では、川霧にさらされて美味しく育ったお茶の葉が生産されており、その急峻な光景はマチュピチュを思わせるようで、観光ポスターにもなっていました。過疎化が進む背景についても、教員になるか役場に勤めるかぐらいしか働く場がないので、やむなく地域の外へ出るしかないと茶園の森下さんも深いため息をつかれていました。その対岸にある平家の落人部落と言われる所では、ゆべしを生産されている関さんからお話を伺いました（資料2b）。TV放映されたおしんの時代を彷彿とさせる厳しい環境で嫁いでこられた時の情景を思い出しながらの語りには、学生はしんみりするとともに強い地域愛を感じずにはいられませんでした。村役場では村長や助役とも対話が進み（資料2c）、どのような考えで運営されているのか、その苦心の様子と若者への期待感がひしひしと伝わり、過疎化の実態への理解も進んだようでした。

こうした思いがけない、新しい風景や光景に出合い、また、ご協力下さった方々からの貴重なお話を通して、南信濃でも信州でのツーリズムの神髄に触れることができたと思います。このような体験はどこでもできることではないと感謝しつつも、自分達の日常生活とは比べものにならない厳しい環境下でのグリーンツーリズムとそのあり方を考えることの難しさや、そこに生きる方々の懸命さを実感した調査になりました。(9)

ブルーツーリズムとグリーンツーリズム

松商短大の相互点検評価校として、厚木市にあるソニーが経営する湘北《しょうほく》短期大学と協定を結んでいました。(11)海岸にも近い湘北短大と連携し、海がテーマのブルーツーリズムと山野がテーマのグリーンツーリズムを互いに交換体験するという趣向が凝らされた交流事業が計画されました。松商短大からは鶴岡八幡宮、江ノ島や鎌倉の大仏など歴史に彩られた有名な観光地を、湘北短大の山田学長の案内で楽しみました。これに対し湘北短大の受け入れに際しては、それまでの学生の研究成果を大いに活かしました。松本大学のバスを仕立てて、松本城のほか安曇野の観光地を巡り、初めて見る白や赤の花をつけた蕎麦畑を物珍しく眺めたり、安曇野ちひろ美術館では松本猛《まつもとたけし》館長の講演や学芸員の説明を聞いたりしたのです。夜は松本大学のセミナーハウスで、中野学長お手製のまつたけご飯や手打ち蕎麦を食するなど、山がちな県ならではのおもてなしで交流が深まりました。

それぞれの地域ならではの観光資源を前面に出したツアー体験から、これから考えるべき観光産業のあり方や、何を求めて人は移動するのかなど、ガイドブックだけからでは考えが及ばない領域にまで踏み込むことができたのです。本学の短大生は、ツアーに参加した湘北短大生に向けてアンケート調査も行っていました。都会で海の近くで生活する学生が〝海なし県〟へ来て何が印象に残ったか、どこに魅力を感じたかなどです。この交流企画が、参加した若者達の目にはどのように映ったかも、上手くまとめています[12]。

地域に根差した観光のあり方の探求から大学教育を想像する

観光産業を考える調査・研究活動においても、県内で地道に活動され地域を支えている実に多くの方々の、好意に満ちた支援を受けていたことを、学生だけでなく、長野県人ではない私も実感できました。長年にわたり受け継がれ、地域社会に根付いた伝統とでも言うべき力の存在は、大学教育を進める上でも大きな力を発揮してくれるだろうと確信できる経験でした。そう言えば、長野は全国でも屈指の公民館活動が盛んな県で、館は住民自らの活動拠点としての役割を担っています。地域の公民館を建設するのに、住民が当然のように多額の資金を出していますと、他県の首長さんに話すと、「どうしてそんなことがまかり通るのだ？」と驚かれます。自治意識の高さとしか言い様がありません。このような地域住民の稀有の自主的な活動力（学生にとっては〝教育力〟になるのですが）はどこにでもあるわけではありません。これだけの経験を積めば、恵まれた条件を積極的に取り入れた大学教育に思い当たるのに時間を要しませんでした。この点は後の章でも触れる、地域と連携した松本大学の独創的な教育展開に対して、大きな影響を与えたのです。

5　松本大学・松商短大の高等教育改革に向かっての問題意識

「工学系の学生だから学びの入り口にロボットづくりか、上手い導入だな！」と感心した金沢工大の取り組み。「社会科学系の本学で、ロボコンに対応するものは何か？」この問題意識がその後も継続し、松本大学や松商短大における教育のあり方をめぐっての課題設定となりました。また中堅校の進路指導の教諭から言われた、「送り込んだ偏差値的にはマジョリティの生徒を立派に育て、社会で有為と見なされるまでに育てていただきたい」との〝厳しい〟要請に応えなければ、ということも深く刻まれた問題意識となっていました。

情報教育での試行錯誤　―学生に自信を育む―

高校の教諭にも言われていたように、偏差値で輪切りにされ必ずしも高くは評価されていなかった、従って自分の〝学力〟にも十分には自信を持てていなかった学生を対象とした教育を始めました。情報教育担当のゼミナールにおけるプログラミング教育を実施するに当たっては、自分にもできるという自信を持たせたいと考えていました。その力の育成には、取り扱うテーマについて、まず学生自身が興味を持てる内容であること、社会科学系の短大生向けであるため、高度の数学を駆使する必要が無く、できれば加減乗除や平方根程度で収まる内容であること、社会の問題に目を開かせる内容であることなどを条件として私に課しました。

テーマ設定のあり方として、まずはいくつかの課題を示して学生に選ばせようとしたのです。課題の示し方は、ほぼ一言聞いただけで問題のありかがわかるものであることが必須でした。それらが先にも述べた「一票の価値の平等」「JR運賃の安い切符の買い方」「上高地線とJRの接続時間の短縮」などだったのです。いずれもプログラミングには少々難しい課題ではありましたが、それだけに乗り越えることができた時には自信が付くであろうと敢えて挑戦しました。私自身も正解を持っていなかったため、学生と一緒に考える時間となったことが、学生には珍しく、良い経験になったのかもしれません。90分の授業をやっていても、上手いアイデアが見つからず、進展しない時もあったのです。

学生が社会に存在する問題・課題として認識し、その解決に向けての方向性についてある程度目星を付ける。必要なデータを探したり、考慮しないといけない条件にはどのようなものがあるかを洗い出す。どのような点が改善されれば解決と言えるかなどなど、プログラミングに関わって実社会を見る目も養いたいという狙いは、先に見たように幾分かは達成できたと思われます。しかし最終的には、課題設定そのものも学生の問題意識から発せられるようにできないか。そのためには、常日頃から社会を見る目を養わなくてはならない。これは学生が何を課題と見なすかという問題であり、「あきらめ、しらけ、などといった後ろ向きな姿勢を改める」という難題を克服することにもつながる課題でもありました。一挙に解決するのは難しいけれど、「やる気になればできる」という成功体験を積み上げる中で自信を育むことが近道なのだろうと考えていました。

「ロボコンでの勝利」に対応するのは「地域社会の課題解決」

情報教育における様々な試行錯誤やツーリズムの調査・研究を通じて、地域社会の持つ〝教育力〟の高さに気づいた経験から、こうした恵まれた環境を活かして学生を活性化する道は、地域社会と連携し「地域社会の課題解決」をすることこそが、理工系における「ロボコン勝利」に対応するのではないかという認識に到達できたのです。

地域社会との接点を意識できたのは、前章でも見たように、長い期間にわたって交流し、意見を交わしながら共に若い学生を育てようという、教育に向き合う同士のような雰囲気を築き上げられたことが背景にあったと思います。

この場合「ロボコン」に似た有利な条件があります。ロボコンでは敗退することにより、次はリベンジしたいと前向きな姿勢を鼓舞します。地域社会での活動では、最初に取り組んでいる課題解決に対し一応の成果を出せたとして、まだその先にある可能性が認識でき、新たな課題発見につながる点がそれです。社会に存在する課題は複雑であり、一つ解決できたとしても関連した新たな問題は芋づる式に次々と見えてくるのです。一つのことに集中して学びを深めた学生であるからこそ、この点に素早く気づくであろうし、それをクリアするための新たな展開を模索し始めることができるのです。

課題解決策の成否の判定とマスコミ報道の役割

ロボコンならば勝敗という結果でわかりやすいのですが、地域社会に向けて提起した課題解決策の成否はどのように判定されるのでしょうか？　地域社会の課題解決策に、優勝、準優勝などはありません。あるのは地域社会が結果に対して下す判断でしょう。しかも忌憚《きたん》ない意見が聞けたり、〝成果〟に対する多様な方々の客観的評価が重要になってきます。

幸いなことに、長野県や松本地域は全国的に見ても新聞文化が発達しています。ある年に、職員が本学に関連する記事の掲載数を調べたことがありました。1年間で300を優に越えていたのです。同じ内容でいくつかの新聞に掲載されていることもあるのですが、掲載日が違うこともあり、平均的にはほぼ毎日何らかの記事が県民、市民の目に留まっていました。そこでは、学生達が成し遂げた内容に関して、多様な方々の談話があったり、有識者のコメントがあったり、学生の口から放たれた実施の意図や苦労話なども掲載されるのです。厳しいコメントが取り上げられることはないのでしょうが、ほとんどの場合が、学生の活動に関心を持ってもらっているだけでなく、「ここまで考え、提案までしてくれて有り難い」「若い方々と一緒に活動できて楽しかった」「これからの展開に期待している」など、好意的な反応が目立ちます。日頃活字離れしている学生でも、記事を見て「このように見てくれていたのだ」「こんな点が評価されているのだ」など自分たちの活動を客観的に見直す機会となり、自信を深めていくのです。もちろん学生の保護者も、子ども達の成長ぶりを確認できる場として誇らしげに読んでくれているようです。大学への訪問客がタクシーで向かう途中『松本大学では、学生さん達がこんなことをしているんですよ』と運転手さんが語ってくれました、一般市民にも広く知れ渡っているのですね」と驚かれています。マスコミ報道が唯一の評価軸と言うわけではありませんが、大学教員が学生に向かって「よくやったね」と褒めるのとはひと味違う喜びを学生達は感じており、次への鋭気を育んでもらっているようです。「褒めること」は「育てること」とは、子どもだけではなくいくつになっても当てはまるように思えます。

大学でも、優れた活動（教育、地域連携、大学事業など）に対しては、学長（事務職員に関しては事務局長）の裁量による表彰制度を設けました。競争を強いているという視点からの批判的見解がないわけではありませんが、表彰理由も公開されるため、実施していることはきちんと見られており、褒められるという形での客観的な評価もなされるということで、本人だけではなく、全体がやる気に満ちた組織になっていると思います。

物理学を専門としていた筆者が、どのような経験を経て、どのような問題意識を持って大学教育に向かおうとしていたか、理解していただけたでしょうか。最初は目の前の学生への対応、松本大学や短大部での教育活動だけに通用するのだろうと思っていましたが、進めていくうちに、日本の教育界全体に共通する問題への解を求める取り組みになっていると気づきました。

【7章の参考・引用文献】

（1）寺脇　研『それでも、ゆとり教育は間違っていない』扶桑社（2007年）
（2）「『質の高い教育』学生の提言」朝日新聞（2021年9月26日付）
（3）住吉広行「賢くなんかなりたくない！」『市民タイムス』（1997年5月23日）
（4）「一票の格差是正システム」『市民タイムス』（1992年10月25日）
（5）住吉広行「衆議院定数抜本是正（案）―一票の価値の平等を目指して―」『松商短大論叢』第41（1993年3月）179～306ページ
（6）住吉広行「地方公共交通網の充実・利用促進と地球環境問題へのアプローチ―利便性向上を目指す、上高地線のダイヤ改正への提案―」『松本大学研究紀要』第8号（2010年1月）

王　偉剛 et.al.「上高地線のダイヤ改正の提案と環境問題へのアプローチ」　２００７年度 住吉ゼミナール卒業論文（２００８年３月）
（７）増田晶文『大学は学生に何ができるか』プレジデント社（２００３年）
（８）山崎光博・小山善彦・大島順子『グリーン・ツーリズム』家の光協会（１９９３年）
（９）住吉広行監修「安曇野における滞在型グリーン・ツーリズム」『２００４年度 松本大学松商短期大学部 特別研究成果報告書』（２００５年３月）
住吉広行編・著『「信州の観光と松本大学」　第二部「安曇野における滞在型グリーンツーリズムの可能性　―松商短期大学部「特別研究」実践報告を兼ねて―』松本大学地域総合研究センター（２００４年12月）107～261ページ
（10）天龍村情報誌『ＲＹＵ』新葉社（２００３年７月）
（11）住吉広行「松本大学松商短大部―湘北短大の相互点検・評価の歩み」News Letter Vol.39（財）短期大学基準協会（２００７年８月）４～６ページ
（12）唐沢あゆみ「安曇野地域の観光について」『学友』40号、松本大学松商短期大学部・学友会報道局（２００６年３月18日）73～83ページ

8章 地域と連携した松本大学の教育実践

―「課題解決型教育」具体例の提示―

ＳＤＧｓに対して、「見せかけ」「表面的」「きれいごと」と冷笑する意見も根強いようです[1]。これに対し「大切なのは変えていくことですが、日本にはその土壌がまだまだ足りない」「成功事例を作り、広げていきたい」と指摘されています[2]。また１９９０年代半ば以降２０１０年代序盤までに生まれたいわゆるＺ世代の若者がＳＤＧｓへの関心を高め、就職活動でもどの企業がうわべだけでなく本気で持続可能性と向き合っているのかを見抜こうとしているとも指摘されています[3]。７章のはじめにも、高校生の声として現在の教育のあり方に関して、「知識を詰め込んで暗記させるような方式は考え直すべきではないか」との意見が出ていたことを紹介しましたが[4]、これを改善できる土壌はあるのでしょうか。

こうしたことは何もＳＤＧｓに限られたことではありません。形式を整えようとはするが、その本質には迫れないという弱点は様々なフィールドで見られます。ここでは大学教育分野で、課題解決型教育を推進する具体例について、松本大学や松本大学松商短期大学部で実際に展開されたいくつかを、成功事例の一つとして紹介します。先の章で述べた特色GP採択以降も、腕によりをかけた地域連携教育が様々な分野で続々と実践され、裾野の拡がりと同時に、高度化も実現できているように思います。

各教員が自分の得意分野において、地域社会との関わりをテーマに取り上げ、現場に出かけるとともに、理論的学びと切り結び、課題解決に向けた能力の育成を図ろうとしています。この章では、そうした成功事例を広く見渡し、その背後に横たわる共通点を通して、その本質がどこにあるのかを抉《えぐ》り出せるのではないかと思います。この考察を基礎にして、次の9章では大学教育論へと展開させ、我が国の教育界において変革の土壌を創り出すという方向に収斂させていきたい。ここに示す具体例が、その橋渡しとなっていることに注目していただきたい。

1　高齢化社会と買い物弱者支援　―都市（消費）と農村（生産）との連携―

もったいないプロジェクト　―野菜の引き売りの始まり―

これは総合経営学部に所属する女子学生が、学生生活で感じていた困りごとに端を発しています。彼女は軟式野球部のマネジャーをやっていました。大学の所在地である新村にある農村グランドで、男性部員が練習を始めるまでは、準備に余念が無いのですが、いざ始まってみるとルーチンに沿って淡々と進んでいきます。余裕ができた時に周りの畑を見渡してみると、農家のおばさんやおじさんが、キュウリやナス、トマトなど、ちょっと曲がっているとか市場に出る時は熟れ過ぎているなどの理由で市場に出せない野菜が次々と捨てられてしまっていることに気がついたのです。下宿生活をしている身には、私なら躊躇せず食べるのに〝もったいない〟と思いました。

最初に紹介するこの例は、当初〝もったいないプロジェクト〟と呼んでいました。商品としての価値と食物としての価値の間にある矛盾にも気がついたのですが、それよりもまず捨てられてしまうことを何とかしたいという思いが行動へと駆り立てたのです。

ゼミ生の集まる研究室に戻って、担当の白戸先生に聞いてみました。「こうした野菜を安価で集めて、私達貧乏学生のように困っている人に分けるということはできないのでしょうか？少量を集めて少人数に渡すだけなら、それほど難しいことではないと思うのですが、捨てられている野菜は、あちこちの畑から出ていると思うので、もっと大きい規模で考えたいのです。」「そうなるとどこから集荷するか、どこに販路を求めるかなど、店舗経営に似た対応が必要だし、仕入れ価格や販売価格の設定も大事になってくるだろうね。」

その後の学生の行動は迅速でした。大学近隣の農家を回り、事情を説明し、本来なら捨てられてしまう野菜を安価で譲ってもらう約束を取り付けてきたのです。後は販路の設定です。高齢化社会にあって、買い物弱者と言われる方々を何とかしたいという思いもありました。「どこにそのような方々がいるのでしょうか？」ここは白戸先生が日頃手掛けている街づくりの活動が威力を発揮します。[5] 街中にありながらスーパーマーケットのエアポケットのようになっている地域を紹介してもらいました。こうして市街地での野菜の引き売りが始まったのです。

集めた野菜をリヤカーに積んでの引き売り（資料3a）は、当初見知らぬ若者がやってきたと怪訝な目で見られ、思うようには展開できなかったのです。しかし、回を重ねるたびに合図の鈴の音を聞いた高齢者が家を飛び出して顔を見せるようになり、学生との対話も弾むようになってきました（資料3b）。親しくなってくると「悪いけど、今度来るとき、かさばるトイレットペーパー持ってきてくれない？　大きすぎて運べないの。」「いいけど、他には？」「お爺ちゃん、お婆ちゃんたち、私達が来ると、皆さん出てきてお互い楽しそうにお話しされているけど、普段はどうされてるの？」「家の中でテレビを見たりしているよ。」

こうして学生は、一人住まいのお年寄りは、買い物に困っているだけでなく、話し相手を求めていることにも気づいてくるのです。野菜の引き売りは、マスコミでも注目され、新聞やテレビでも何度も取り上げられました。ＮＨＫの取材では、まだ赴任して間もなかった桑子アナが来てくれており、学生とも親しくしてもらっていました。

資料3　野菜の引き売りの情景とカフェ

(a) 集荷した野菜

(b) 引き売りの風景

(c) カフェの経営

学ぶ身である学生なので週一度が精一杯でしたが、儲けようとしていたわけではなかったけれど、他の店で働くアルバイト代程の収入にはなったようです。この活動は商業系の高校生にも紹介し、時々は合同で実施されました。最初から意図したわけではなかったのですが、私もこんな活動がしたいと入学を希望する生徒も出てきて、結果的には高大接続教育の実現にもつながりました。生産する農村と消費する都市を結ぶ活動として始まりましたが、高齢化社会に生じる困難を解決する福祉の活動でもあり、総合経営学部で学ぶ学生にとってはビジネスを立ち上げる準備に似た活動にもなりました。日頃から学んでいる財務的な要素を持ち込まなければ、こうした多角的視点を要する活動は継続できなかったと思われます。この意味で総合経営学部に「総合」が付いた意味を学生自らが実践で示すなど、大学での学習のあり方を示してくれた活動となりました。

高齢者の溜まり場づくりから、さらにその先の地域づくりインターンへ

このプロジェクトには、その後の新たな展開があります。活動の途中で学生達が気づいたことに端を発しています。それは、高齢者が元気に生活できるには、気軽に集まり楽しく話し合える溜まり場が必要だということでした。学生達はそれを中心市街地につくろうという目標を設定し、活動を発展させていったのです。これを実現させることは簡単なことではありません。町内会も学生達のこれまでの経験やそこから派生した課題解決への思いを聞き、その意欲的な動きに賛意を示してくれました。候補地を一緒になって探した上に、町内の活性化につながるとして提供者の紹介までして下さいました（前ページ資料3c）。さらに続きがあります。こうした活動に注目していた行政の側では、職員の採用に関して採用試験の得点や短時間の面接結果だけで決めてしまって良いのかという問題意識があったようです。「短期間のインターンシップでも適性は見極められない。半年ぐらい一緒に活動することはできないかと思っている」と伺っていました。そういう思いがどれだけ反映したかわかりませんが、活動的な学生が卒業後に松本大学地域総合研究センター特別調査研究員として採用されることを前提に、松本大学と松本市との連携事業である「地域づくりインターン」として登録され、長期にわたって市職員と共に働くというシステムができました。3年間の取り組みが評価され「地域づくりヤ

ングマイスター」として市長の認定をいただいた例も出ています。(6) 市側から見ると地域の「福祉ひろば」等で、数名の特別調査研究員をインターンとして大学の支援を受けつつ働かせるという試みが始まったのです。その一つとして、溜まり場づくりに奔走していた学生を採用し、開店したカフェを職場とし、その運営を任せたのです。まさに長期インターンシップです。驚くことに、さらにその先があります。新しく2022年4月に開設された松本大学大学院総合経営研究科（修士課程）の開講科目の中に、このインターンシップの内容が盛り込まれたのです。修士課程を修了した後、企業のみならず行政に携わるケースも考えられるためでした。

こうしてひとりの女子学生が〝もったいない〟と感じて始まった活動が、その後いくつもの視点が加わって展開し、行政も関わった地域挙げての取り組みへと発展したのです。こうあるべきという理念が先行し、協定を結んでから何かできることを始めるというスタイルではありませんでした。実践活動が先行し、その内容が評価され、それを継続・発展させるために互いに必要だという認識があって、協定締結に至るという順序になっていました。

2　健康づくりへの支援活動　―予防医学による節税効果と新たな産業の創出―

人間健康学部が2007年4月に開設され、短大部も含めビジネス系以外の、運動と食をテーマに「人間の健康」を扱う保健医療系の分野が学園の守備範囲となりました。栄養系の健康栄養学科では管理栄養士を養成することによって、食の面から健康づくりを推進します。もう一つのスポーツ健康学科では、運動を通して人の健康を維持増進させることが目的となります。そのため、健康運動指導士の育成で特に高齢者の健康づくりを目指す予防医療コース、保健体育の教員養成コース、スポーツ産業や行政を通じて健康づくりに貢献しようとするコースなどが設定されています。[7]

インターバル速歩による健康づくり

20代を頂点に年齢を10歳重ねるごとに体力は5～10％ずつ減少していき、それが20代の体力の30％を切ってしまうと、自力では動けなくなり要介護状態に陥ります。いわゆる「寝たきり」になる可能性が高くなります。これを運動による体力づくりで減少率を鈍化させ、寿命と健康寿命が一致するようにしようという試みが予防医療コースのテーマです[8]（資料4a）。1日1万歩の運動も喧伝されていますが、それを覆したのが根本、能勢などが執筆した論文[9]なのです（資料4b）。ただ漫然と通常歩行しているだけでは体力は付かないとわかり、考え出されたのがインターバル速歩という運動様式でした。[9] ジムなどに出かけてトレーニングを積むのも一つの方法ですが、時間とお金に余裕がなければ難しい。それを解決したのが、「誰もが、

資料4　インターバル速歩の効果

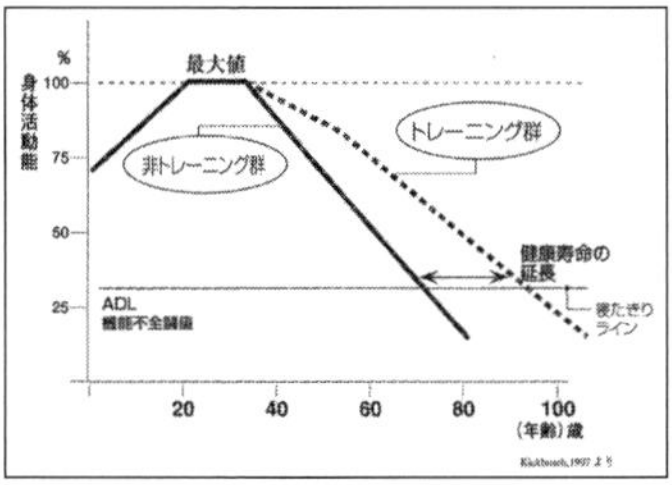

(a) トレーニングの有無と身体活動能の変化

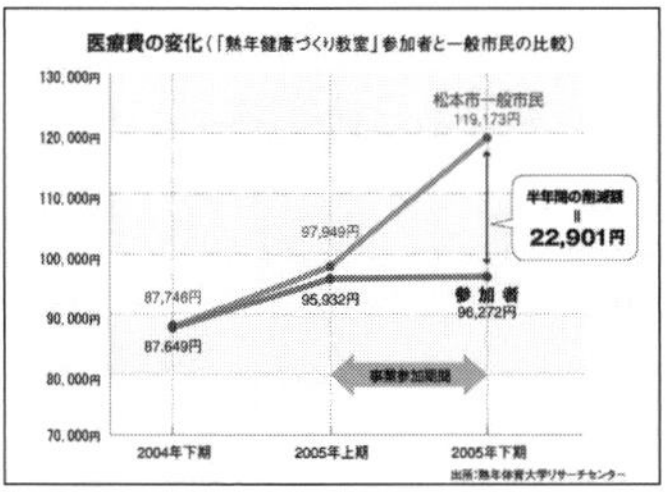

(c) 医療費が 20% 削減

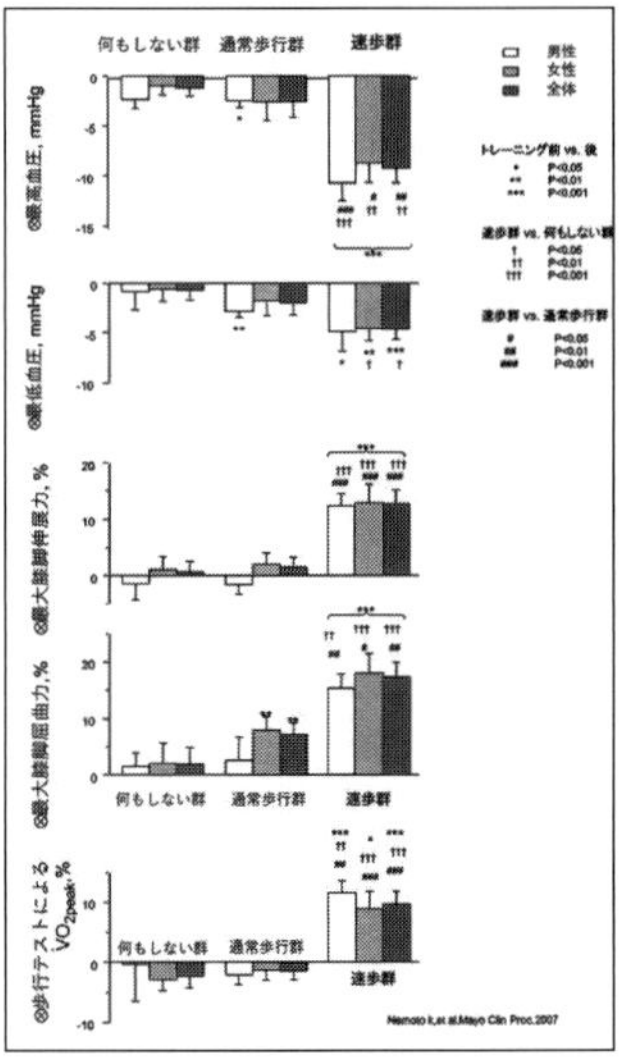

(b) インターバル速歩の優位性

いつでも、どこでも、安価に」できるウォーキング法の普及でした。ジム通いと同じ効果を上げることができる運動手法がないかと試行錯誤していました。そこでたどり着いたのがインターバルを取り入れた歩行運動だったのです。早く歩くのを3分、息が上がってきたのを収めるためゆっくり歩くのを3分、これを1セットとして1日30分。小分けにしても良いので、少しの時間を見つけて取り組むことができます。3分の目安は、歩き慣れた道ならこの電柱からあの木まで、この木からあの看板までのように決めておけば、時計を見る必要もありません。早足の場合も、自分の好きなリズムで鼻歌をハミングしながらできると、手軽さを強調して実施方法を紹介しています。

インターバル速歩の実際や効用の詳細については別に譲りますが[10]、この手法に基づく健康づくりに参加した方々の医療費は一般の方々に比べ約20％の削減効果があることがわかっています（資料４ｃ）。現在松本大学の学生が高齢者に向けて実践指導している取り組みが、もし全国に普及すれば、例えば65歳以上に要する医療費に限っても、実に５～６兆円規模の節減に対応することになります。将来性豊かな役割を学生が担っていくことになります。この点について様々な分野（行政、ホテル、病院、介護施設など）で実際に行われている取り組みに言及する前に、学生の成長過程と地域社会との関連について述べておきます。

学生の成長をいかに図るか

スポーツ健康学科では健康運動指導士資格取得のため、実習指導も含めた授業科目が周到に設定されています。学科での学びを通して念願の資格を獲得できたとしても、次に問われるのはそのノウハウ（知識と技術など）を、地域住民に伝えるスキルを養うための手法の開発です。ここが上手くつながらなければ、もの知りであるだけで実際には役には立たない人物になってしまう可能性があります。

指導経験豊富な根本賢一（愛称：ネモケン）先生はＮＨＫ等でもよく登場していますが、この先生の講義を受け、ある程度のスキルを獲得できた3年生後半の段階から、実際に高齢者を対象とした実習に携わることができるようになります。「人生の先輩としての高齢者に対するリスペクト」「指導に際して、上から目線での対応への戒め」「背の高い学生は被験者と目線の高さを合わせるなど聞き上手になること」など、実践を継続する中でネモケン直伝の技術や技法が身についていきます。地元テレビにも学生と出演し、普及活動にも取り組んでいました（221ページ、資料5a）。ある時、女子学生が何か一所懸命書いていました。「なにそれ、レポート？」「違います。この前の実習でお爺さんから尋ねられて、上手く答えられなかったんです。懸命に調べて、自分自身でも良くわかったので、今手紙に書いているのです」「いつもやっていることなのに、まだわからないことがあるんだ！」「そうなんですよ、悔しくて早速図書館へ行き、仲間とも議論し、最後は先生にも結論を見せたら、『よく調べたね。それで良いんじゃないか』と言ってもらえました」「結構難しい質問だったんだ。一緒に学ぶ仲間がいていいね」「そうなんです。こうしたことを聞かれて直ぐに対応できないと恥ずかしいなという思いもあるんですが、とても勉強になります」こんな会話をしていました。その後この学生に会ったとき「先生この前の手紙、返事をいただきました。『丁寧に教えてくれて有り難う、よくわかりました。みなさんのような若い方と一緒にいるだけで、こちらも元気になって楽しい日々を過ごせています、これからもよろしく』とありました」と嬉しそうに語ってくれました。ここでも、高齢者の質問から、自身の学びが深まり、褒めていただくことによって自信も身につくといった、大学での机上の学びだけでは達成できない域まで達していると思います。学生の真剣な学びと、日頃から実践しているちょっとした気遣いが、高齢者を元気にしています。運動指導の前提となる信頼関係が築けていることが、成功の秘訣だということを学生も身をもって体験しており、これなら社会へ出てからも立派な戦力になると思えます。ここまでできてようやく、資格を持っているだけではない本物の健康運動指導士として、自立できると見なされるのだと思われます。

さてここからは、行政や企業と結びついた、健康づくりの取り組みの実例です。

行政が取り組む健康づくり

「福祉ひろば」や公民館など行政と結びついた部署で、学生は高齢者を対象に運動指導の実践を行っています。難しい運動生理学、スポーツ医学に裏付けられた指導を行うのですが、どうすれば言いたいこと、わかって欲しいことが伝わるのか悩む日々を過ごすのです。これを行政の職員や時には首長やその家族の方も参加したり、どのようなことが行われるのか興味を持って視察もされています。

最初に紹介する例は南箕輪《みなみみのわ》村です（資料5b）。村長のパートナーが参加され、その意義を周りの方々に伝えて下さったようです。健康づくりだけではなく。和気藹々《わきあいあい》とした雰囲気の中で、高齢者の方々が、楽しそうに取り組んでいるのを見た村長も、これは村を挙げて取り組む価値があると判断して下さいました。その時指導に入って、そつなくリードしていた学科第一期生の女性が、卒業後村の職員として採用され、運動指導を専門にして村の健康づくりを担当するようになりました。さらに現在では二人体制に拡充されています。

資料５　安曇野市等での運動指導

(a) ＴＶの撮影現場

(b) 南箕輪村

(c) 安曇野市

(d) 筑北村

こうした流れを察知した安曇野《あづみの》市でも取り組み始め（資料５ｃ）、本学の卒業生を正規職員として抜擢し、地域挙げての健康づくりの施策展開の先頭に立たせています。彼女は持ち前の明るさと、独創性を発揮し、ウォーキング指導に加えて安曇野市ならではの健康体操を編み出したりもしています。こうした活動は地域紙に幾度となく取り上げられています。ここでも、いずれ医療費削減につながり、高齢者のレクリエーションを兼ねた生き甲斐づくりにもなるとの期待があると思われます。

松本市では、いち早く健康寿命延伸都市を宣言しており、多くの健康運動指導士が採用されている上に、信州大学医学部の活発な研究活動もあいまって、健康づくりに関しては全国のメッカとなっています。世界の先進事例を学び交流する場として、医師会、大学、市役所などが連携を強め、世界健康首都会議も10年にもわたって松本で開催されていました。

こうした行政の動きは、少なくとも長野県では今後ますます拡がっていくと予想され（資料5d）、松本大学の指導者育成への期待もいやが上にも高まってくるでしょう。

観光業における健康づくり　―新たなビジネスの模索―

高齢者の健康づくりの流れに敏感に対応したのが長野県白樺湖半にある池の平ホテルでした。ファミリーリゾートとして子どもを中心に家族を呼び込む既存の方針だけで、少子・高齢化時代に対応できるのだろうか？　こうした問題意識から、高齢者の健康づくりをテーマとした経営戦略を考え始めました。早速、先述の根本先生を訪ね、指導の体制づくり、経営上の将来見通しなどについて尋ねられました。

かなり早い段階で決断され、ホテルにもかかわらず建物内には、一般的には場違いとも思える健康づくりのコーナーを設け、エアロバイクなど本格的な設備も完備されました（資料6a）。諏訪《すわ》市にある病院とも連携を強め、指導体制の強化も図っています。指導者には松本大学根本

資料6　池の平ホテルでの運動指導

(a) マシンを導入したホテル

(b) 学生による運動指導

ゼミの卒業生を雇用し、春菜、ひかるという両女性にハル・ピカちゃんとニックネームを付け、地元TV・ラジオなどマスコミにも登場させ地域への周知を図ったのです。大学からも定期的に教員や学生が実習を兼ねて指導に出かけ（資料6b）、好評を博し始めました。青年社長は根本先生とも相談して、対象を高齢者からさらにウイングを拡げ、企業の従業員の健康づくりのお手伝いをするという方向を打ち出したのです。健康経営という時流の追い風もあって、社員の健康増進を経営戦略と考える企業が増えてきました。地元の企業だけでなく、その範囲は大手企業にも拡がっているのです。

ホテルへの最初の訪問では、採血を含む健康チェックから始まり、ここで受ける運動指導がどのような考えと実績に基づいているかなどの説明を受けます。過去の実績に基づき、体重、血圧、血糖値、最大酸素摂取量などに対して、どのような数値にまで改善が期待できるかを聞くことになります。その見通しを医学的視点から示されるため、数カ月後に運動の成果をチェックするためにホテルを再訪することが楽しみになってくるようです。こうしたシステムを構築するための初期投資も惜しまず、松本大学の支援を受けて新しいホテル経営へと乗り出し、新たな経営フィールドを開拓してきているのです。規模の拡大に伴って、卒業生の採用は健康運動指導士の他に管理栄養士にも拡がっています。

病院での取り組み　―予防医療の展開―

健康経営を考える企業（資料7ａ）は増えてきていますが、その中には病院もあります。予防に力を入れると、治療に来る患者の数が減ることになる。こうした関係性があるにもかかわらず、松本大学との連携で予防システムづくりに歩を進めたのが、大手の戸田中央病院でした。病院として本格的な実業団チームを持つなど、スポーツ振興にも力を入れている病院が、松本大学の女子ソフトボール部出身者で健康運動指導士の資格を持つ卒業生を雇用したのが始まりでした。「あなた、健康づくりの資格を持っているらしいが、人間ドックにきた高齢者がいるので、どんなのかわからないけど彼らにその指導をしてみてくれない？」と依頼されました。彼女は本当に普段通りに、高齢者に向けて「さあ〜、皆さん」と声高々に指示を出し、初対面の方々を引き込んで見事なパフォーマンスを展開して見せたのです。これを見た事務局長は「大学を出たばかりの女性が、なぜこんなに見事に初対面の人を動かせるのか！」と驚いて、早速松本大学を訪問されました。その教育方針や運動指導のあり方を見聞きし、単に資格取得

資料7　企業・病院での運動指導

（a）現場実習　エプソン

（b）戸田中央病院
新卒１年目から
健康運動指導

を支援するだけではなく、その能力の活かし方にまで行き届いた考え方に「それは素晴らしい」と感動されたようです。それからは、ほぼ毎年こうした学生が採用されており、それが今では「食」の分野を担当する管理栄養士の採用にも及ぶようになっているのです。

病院側では、新たな経営指針として「高齢者の健康づくり」を取り入れ、多角経営を手掛けるようになりました（資料７ｂ）。その中心にいるのが松本大学の卒業生であり、時には３０００人を優に超える病院職員や病院関係者を対象にした講演会に根本教授が招かれるようにもなっています。少子高齢化社会にあって、医療費の負担の問題も大きな課題になっている中で、治療ではなく予防の取り組みが病院の中から起こってきていることは、将来の社会を考える上で示唆的だと思われます。

介護施設での健康づくり

（株）エア・ウォータ（以下ＡＷ）という一部上場の企業は、創業者の出身地でもある松本が発祥の地です。多角的経営がなされており、高齢者介護施設をいくつも経営しています。よく見かけるのは、入所してから徐々に衰え、ついには寝たきり状態になり、いつまでも施設にとどまらざるを得なくなってしまうという事例です。「これでは施設を開いた甲斐がない。障がいのランクにもよりますが、元気を取り戻して自力で生活できるようになり、家族の元へ戻したい」という考えを、この会社は基本コンセプトとしていました。それを実現するには、入所者の体力づくりが課題であると認識したとき、松本大学の健康づくりが目にとまったのです。

もともと病院へエアや水を供給している会社なので、戸田中央病院を介して松本大学との接点ができました。会社と病院の間には信頼関係ができており、その病院からの紹介であること、地元発祥ということもあり、AWと松本大学との連携はとんとん拍子で進みました。隣には病院があるという絶好の敷地に建設された介護施設では、既にトランプ、囲碁・将棋、オセロ、かるた、各種ゲームなどさまざまな娯楽の要素を取り入れ、認知症防止などに努めていました。残された課題は体力を付けることでした。そこで新たに健康づくり、体力増強を取り組みの一つとして強化し始めたのです。ここでも、リハビリに対しても訓練の行き届いた松本大学の学生が重宝されているのです。

3　いのちと向き合う　―管理栄養士養成課程における課題―

総合経営学部に次ぐ新しい学部の設立については、長野県内にはなく、近隣の諸県でも手薄な領域で、松本大学らしさを出せる分野に絞っていました。まずはスポーツ系が思い浮かんだのですが、もう一つを付け加えて学部にバラエティーを持たせ、2学科での発足を目論んでいました。当時健康日本21では、一に運動、二に食事、きっぱり禁煙、最後に薬と言われていたため、学部では地域社会の健康づくりを担う砦になろうと考えたのです。そのうちの運動を担うのがスポーツ健康学科で、前節で紹介した通りです。二つ目の学科となったのが小倉事務局長が提案した、食による健康づくりをテーマとする健康栄養学科で、人間健康学部の骨格が決まりました。この節では食に関する活動内容を紹介します。

いのちをいただく　―鹿の解体とジビエ料理―

長野県は農業県でもあり、自然豊かな地にある大学の特徴を出そうと、現在全国ジビエ協会のトップに立つ藤木シェフに、本学での実習・講義をお願いしました。シェフとは安曇野観光の調査を行っている時にお会いする機会がありました。「私が引き受けるからには二つ条件があります」と言われました。将来料理に関わる人には、「人間は別の命をいただいて生きている」ということを意識して欲しい。そのために授業の中で「鹿の解体」を行い（228ページ、資料８ａ）、その肉を使ったジビエ料理（資料８ｂ）に挑戦させていただきたい。これを認めることが一つ

資料8　鹿の解体とジビエ料理

(a) 藤木シェフの指導による鹿の解体

(b) ジビエ料理

(c) 記念撮影

目の条件でした。この考え方に共鳴し、是非ともとお願いしたのは良かったのですが、多くを女性が占めるこの学科で、果たして学生は嫌がらず、怖がらずに、面と向き合えるだろうかという不安がよぎりました。

２００７年４月に無事学部・学科を開設することができ、いざ授業が始まりました。私の予想は杞憂に終わりました。シェフの事前の講話に説得力があったからか、ほとんどの学生は、気丈にも平気な顔でシェフの指示を受けて「解体」に取りかかっていました。鹿を目の前にして、学生は「生き物のいのちを確かにいただいている」ことに思いを馳せながら、調理に従事していることを自覚したのだと思います（資料８ｃ）。

地方の自然豊かな地にある大学だからこそ可能となる授業であり、松本大学の管理栄養士養成課程の特色の一つにしたいと思っていました。実際に今ではそのようになっていると思いますが、毎年確実に鹿が用意されなければなりません。都会では無理でしょうが、県下では今や、鹿は野菜畑などを荒らす害獣と認識され、多くが捕獲されています。

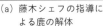

資料9　1日限りのレストラン・プランタン等

（a）学生のレシピに基づく料理

（b）外部からも多数のお客さん

（c）学生のウエイトレス

（d）「いただきます !!」
プロジェクト

1日限りのレストラン
—地産地消と経営感覚の養成—

藤木シェフに要請されたもう一つの条件は、学生によるフレンチ料理のレストラン経営でした。学生たちの発案によるレシピに基づいたいくつもの料理を、教職員などが試食形式で事前審査を行い、採用されたメニュー（資料9a）で本格的なレストランを経営するという内容です。シェフの狙いは、単に調理のみならず地産地消を目指し、地元農家との交渉や価格設定など経営的感覚を磨くことも含めた実践的活動を行うことにありました。一般公開するので、味も妥協は許されず、接待も本格的でなければなりません。実際に本人もフレンチ・

レストランを経営していることから、学生にも是非経験して欲しいという要請だったと思います。当然二つ目の条件も受け入れたというか、逆にお願いし、地方に立地する松本大学ならではの、特色を持った管理栄養士の養成に取り組んだのです。

学生の手による、1日限りのレストラン・プランタンが昼の部と夜の部それぞれ100食程度ですが、松本大学でオープンすると地方紙に掲載されるや、申し込みは殺到し瞬く間に予約が埋まってしまいます（資料9b）。学生にとってのこの一大イベントは、課外活動として位置づけられており、昼夜で別の学生グループが対応しています。調理はもちろんですが、受付からウエイター、ウエイトレスなど接客役（資料9c）も含め、かなりの数の学生が関わっており、相当の緊張感が伴っているようです。来客者がどのように評価してくれるか、学生たちも興味津々です。もちろん終了後にはシェフから講評をいただいており、稀有の体験になっています。

行政と結びついた食品ロス削減の取り組み

栄養素や摂取カロリーなども念頭に置いてレシピを作成する中で、栄養価の高い食物だけでなく、環境に優しい食料なども意識し始め、輸送に要するエネルギーを減らすべく、地場産の野菜にこだわるなどの変化も見られます。山形県長井市のレインボープランなどに学び、残物を焼却・廃棄せず、土に戻すリサイクルの取り組みも手掛けるようになりました。こうした活動は、後述する学生の地域連携の窓口となっている地域づくり考房『ゆめ』で始まった「いただきます!!」プロジェクト（229ページ、資料9d）にも影響を与えています。また世界の「飢餓」の状況を訴える写真などにも大いに影響を受けたと思われます。専門性を活かして松本市と協働で、食品ロス削減につなげる、『もったいないクッキング「サンクスレシピ集」』を発行し、市民に呼びかける活動に結びつきました。

松本市においても、全国に先駆け「30・10」《サンマルイチマル》運動を展開しています。これは宴会などで乾杯が終わった直後から、知り合いや招待した客などにアルコール類をつぎに回るのではなく、誰もがまず30分は席について食事をとる、終宴の前10分間も席について出された食事をいただくこと、これによって残飯として捨てられる食品を削減するというものですが、学生のプロジェクトと軌を一にしています。

ここでも文部科学省の「競争的資金」に採択される

こうした都会では難しい取り組みを通じ、学生は食による健康づくりが、獣害対策、環境問題、農業振興、食品ロス削減など多方面に関連し、地域社会の課題や世界の課題と密接に絡んでいることへの理解を深めています。また長野県が男女共に平均寿命が常に全国トップレベルになっていること、この点に関して「食改さん」（食生活改善推進員）の果たしている役割・

意義を認識する管理栄養士へと変化、成長しているように思います。

文部科学省の「競争的資金」に、廣田学科長が責任者となって応募しました。鹿の解体や地産地消のレストラン経営、それにここでは紹介を省きますが、食品加工分野では地元企業と連携し、地場産品（りんご、わさび、蕎麦、柿など）を利用した各種製品の開発、製造が精力的に行われています。また昭和伊南《いなん》総合病院では、臨床栄養学に基づいて実施されている、患者同士あるいは患者とその家族ぐるみで食を媒介として、交流を深め病状や生活の改善を図る取り組みがなされています。これらを含め、授業体系全体が評価され、見事採択に至っています。[11]採択後も、家庭の生活スタイルに基づいて訪問により行われる、在宅介護での栄養管理は、医師や看護師、ケアマネジャーらとの連携で実施されています。これは、全国的にも珍しい地域包括ケアの取り組みですが、あのスピードスケートの小平奈緒選手が所属していた相澤病院の協力を得て、病棟での実習も行っています。[12]

開発された商品を持って、新宿高島屋で開催された「大学は美味しいフェア!!」に出店しました。[13]これは２０１２年、短大60周年、大学10周年の創立を記念した事業の一つでした。朝10時から夜8時まで、しかも1週間という長丁場でしたが、延べ60人にもなる学生が支えました。学生が前面に出た本学のブースは、全国34の大学の中でも異彩を放っていました。「接客は活気があり好感が持てた」「笑顔が印象的」「学生さん主体でイベントの本来の姿と感じた」等が、アンケートに対する来場者からの返信でした。本学が地域と連携して開発した郷土色豊かな商品とともに、教育スタイルも全国に発信できた取り組みになりました。

4　1年次から教育現場を知ってイメージ豊かに　―ミスマッチを防ぐ教員養成―

次は新たに設置された教育学部での例です。まだ短期間ではありますが、既に実績を積み重ねています。

教育学部設置の意図

松本大学に教育学部が設立されたのは2017年4月ですが、長野県における極端に低い大学の収容力（常に全国の下位5指に入っている）を何とか高め、県内高校生の進路の選択肢を増やし県内残留率を高めたい。それを地域活性化の、また大学経営上の課題解決の一つの解としたいとの意図がありました。これに加え、松本大学が課題としていた「教育のあり方」を初等教育で実践できる教師を育てたいという思いもありました。通常の教育学部等で育った教師の卵とはひと味違う、I部で描かれたような資質を持った教員を育成し、教育県長野にふさわしい特色を打ち出そうと考えたのです。

教員養成における視点

教育学部開設以前にも中学・高校の教員養成は行われていました。スポーツ健康学科では保健体育担当教員を育成していますが、その教育実習では、例えば実技中に何か困りごとがあった時に「こうしましょう」と「臨機応変に対応してくれるのは多くは松本大学の学生だ」という評判を現場の先生方から聞いていました。彼らは真剣に競技に取り組む中で、ピンチの時あるいはチャンスの時どうすれば良いかを、仲間と相談しながら素早く判断することが日常茶飯事であり、大学時代に厳しく鍛えられています。こうした経験から、どのような場面に向き合っても、決断し実行に移せる行動力が知らず知らずのうちに身につき、困難を打破するのに役立っているのでしょう。これが先のような評価につながっているのだと思います。さらに技量の高さに応じた対応にも長けており、体育嫌いをなくす面でも力を発揮しています。

こうした保健体育の教員養成の経験に学び、教育学部においても、課題解決型の授業展開への取り組みを日常的に行っていれば、現場で教壇に立った時にそれが生きてくると考えました。子ども達の学びにおいて、「自ら考え、みんなで意見を出し合いながら、課題解決に取り組む」という姿勢の涵養が、特に重要になります。これを主導できる教員になるには、教員養成の段階からそのような姿勢を持つことが重要になると発想したのです。

教員養成に向けて強化したこと　―ミスマッチを防ぐ―

教員の過重労働が報道されるようになって、教員志望の受験生が減少するだけではなく、せっかく教員免許を取得しても、教員にならず一般企業に就職してしまうケースが数多く報告されています。しかし、松本大学教育学部の学生は全国でも教育学部単科の国立大学並の高い教員就職率となっています。これは松本大学が「学生の学びのフィールドの原点が学校現場にある」と考えたことに起因しています。正規科目の中に、教育現場に出かけ、教師や子ども達はもちろん、時には保護者とも接触する機会を意図的に多く設けているのです。まず1年次後半には「学校ボランティア活動」において、学校の日常生活を観察し子ども達の相手もしながら、自らが児童・生徒だった時を思い起こし、取り組まれている一つ一つの行事などの意味も考えています（237ページ、資料10ａ）。これは児童目線からのアプローチと位置づけています。次に2年次には「学校インターンシップ」が開講され、何度も現場に出かけ忙しい教師の手伝いをしながら、仕事内容を体験し、それに慣れる段階を設けています（資料10ｂ）。これは教師の視点からのアプローチと言えます。3年次になるといよいよ教育実習が始まります。このようにいくつものプロセスを通ることによって、教師という仕事に対する心構えも醸成され、教員採用試験を受ける段階では既に「教員になりたい」という強い意志を持つようになっているため、ミスマッチを防げているのです。学部設立に際して、教育実習などを受け入れていただくために、教育現場にお願いに伺いました。「自分たちも後継者を育成することは義務だと認識しています。しかし忙しい時間を使って養成した学生が教員になることを放棄してしまうのにはやるせない思いがします。是非初志貫徹していただきたい」と逆にお願いもされました。先の教師としての高い就職率は、大学と教育現場が連携し、協働で創り上げた成果ではないかと思っています。

他大学の教員に「どうして教員になることを諦めるのでしょうか」と聞いたことがあります。「教育実習で初めて現場体験をしてみると、なすべき仕事内容が、学習指導だけではなく、排泄物の処理を含む生活指導・支援にも多くが割かれていると認識するのです。しかしこれが、当初抱いていたイメージとかけ離れており、自分には務まらないと思い、別の職種への変更を考えるのです」ということでした。これに対して子ども目線、教師目線での現場経験ができている場合には、どのようなことが起きても一通り予測できる範囲に収まっているので、このような動揺は少ないのだと考えられます。

教育現場に出かけて実施した活動に対しても、学生同士が経験交流を活発に行い、互いに切磋琢磨する姿が見られます。もちろん、教員採用試験にも仲間で取り組んでいるのですが、交流の起点となっているのが、「教学半」と名付けられた共同の学習室です。ここには、退職された3〜4名の教師陣が職員として常時滞在し、学生から寄せられる多様な相談に対応しています。現場経験が豊富な方ばかりですので、そこから漏れ出てくる本音さえも、学生には格好

資料10　教育学部でも積極的な活動

（a）学校ボランティア活動

（b）学校インターンシップ

（c）梓乃森祭「あそびのコーナー」

（d）コンサートを開催

（e）『ゆめ』での手話の学習活動

の学びの対象になっているようです。

学生の自主的で多様な取り組み

松本大学教育学部設立に当たって、特色を持った教育体系の構築を考え、教育内容だけでなく、「教学半」をはじめ設備面での準備も怠りませんでした。周到に用意されたシステムの下で学ぶ学生ですが、それに甘んじることなく、正課外においても自ら積極的に交流の場を求め、充実した設備を利用して独自に多様な活動を拡げています。梓《あずさ》乃《の》森《もり》祭では、体験・実験など理科的要素を盛り込んだ子どもを対象とした「あそびのコーナー」（資料10ｃ）を1年目から企画しています。また、1年間の授業の成果をお披露目する目的もあって、早速新入生歓迎コンサートを開催したり、「松本大学アンサンブルsolae」と名付けたクラブを立ち上げ歌声の輪を拡げ、自分たちが楽しみながら音楽教育の強化にも余念がありません（資料10ｄ）。

地域づくり考房『ゆめ』（8章6節参照）の一員となって、松本少年刑務所にも出かけてのBBSの活動やサイン（Sign）という手話を学ぶ活動（資料10ｅ）にも参加していますが、他学部と同様に地域社会に出てのボランティア活動も活発です。いくつかの例を示してみましょう。朝日村児童館での川遊びや学習支援、不登校児童への関わり、通学合宿での宿泊を伴うサポート等々。学部の特徴が出ていますが、自らの将来にも活かせる学びの機会として積極的に地域に飛び出しているのです。1年目からこうした活動ができるのも、松本大学では既にそれが当たり前のようになっており、いわば伝統に守られているから可能だったと言えるでしょう。

5 「東日本大震災」災害支援活動 ―直接つながる独特の取り組みスタイル―

大街道小学校区に限った支援活動

3・11の東日本大震災への支援活動には、日本全国から多数のボランティアが駆けつけました。大学関係者も例外ではありませんでした。松本大学にも三陸出身の教員がいましたので、土地勘のある場所への支援が適切であろうとの判断で、宮城県石巻《いしのまき》市へ出向きました。(14)松本大学の規模では、広域をカバーするのは難しいと考え、大街道《おおかいどう》小学校区という限られた地域に力を集中すると決めました。現地に迷惑をかけないようにと、4月中旬から、大学の大型バスを仕立てて、テントやシュラフを持参しての支援活動となりました。小学校内の空き地の使用許可をいただき、そこで寝泊まりし、できるだけ自給自足での支援生活を心がけたのです。

最初は瓦礫の撤去（241ページ、資料11ａ）から始まりましたが、大きな釘を踏むこともあり、怪我防止のため鉄板を靴底に貼り付けていました。当初は知らない大学から学生達がやってきたと、少し怪訝《けげん》な目で見られていたと思います。他のボランティアグループのように時間が来たから切り上げるという活動スタイルとは違い、時間配分も自分たちで決め、頃合いの良いところまで進めて、その日の作業を終えるというやり方を貫いていました。こうした懸命の活動が継続的に、黙々と行われるのを見て、小学校区の住民も信頼を寄せてくれるようになってきたのです。

救援物資が道路沿いに山積みされているのを見るにつけ、本当に必要な物資だけが意味を持つことに学生達も気づき始めました。そこで始めたのが、必要物資の注文取りでした。Ａさん宅ではａ、ｂ、ｃを、Ｂさん宅ではｃ、ｄ、ｅなどと学生達は瓦礫撤去や家屋の掃除をしながらメモを取りました。それを大学にいる留守部隊に伝えます。これを受けて、学内の学生・教職員のみならず、新村の住民にも回覧を回し、必要な物資を急いで集め、Ａさん宅、Ｂさん宅等とシールを貼った段ボール箱に詰め込みました。次の支援部隊がバスに乗せ、各家庭に持ち込むのです。必要な物資しか入ってないので、これは痒いところに手が届いた手法で大いに喜ばれました。古着の洋服なども、なかなか着てもらえないのですが、素性がはっきりし洗濯もできているので喜んで使っていただけました。全て信頼関係のなせる技でした。

小学校の教室が避難場所になっていたのですが、時とともに、子ども達の勉強が心配になり始めます。そこで、避難場所を教室から体育館へと移動することになりましたが、疲れている避難者の要望を聞きながら、ここでも学生達が奮闘しました。どこから来たお兄さんやお姉さんかわからなくても、自分達のために働いてくれているのを子ども達も見ており、その信頼も得ていきました。この頃には、テント生活では学生達の疲労もたまるばかりとあって、さすがに現地で空き家を見つけて借り上げることにしました。男女共用とあって、少し広めの家を借り、風呂は復旧してきた銭湯を利用することにしました。こうして松本大学の支援体制は徐々に確立していったのです。絶対の信頼感のもと、松本大学の日と称し、保護者の同意を得て、夜間には学習支援役を任されました（資料11ｂ）。大学が連携している台湾の福祉グループも是非支援をしたいということで、寄付金贈呈とともに寄り添う活動に参加していただくという活動もありました（資料11ｃ）。

学生が行う支援のパターンは二つありました。一つは、2泊3日で実質1日半の支援活動です。学生達は授業の無い曜日を挟んで早朝から出かけ、昼過ぎから夕方まで活動し1泊、翌日は早朝から夜まで活動し、車中泊で授業のある日の早朝には到着します。もう一つは、前日の夜出発し車中泊を経て早朝に到着したあと夜まで活動します。その後夜明け前に松本に戻り、

資料11　支援活動

(a) 瓦礫撤去

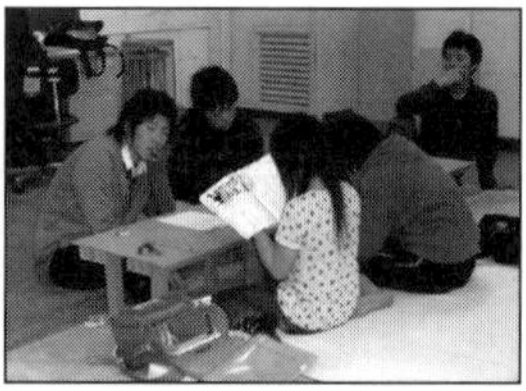

(b) 学習支援

(c) 台湾の障がい者と石巻へ支援活動に

通常よりは短い睡眠時間で朝からの授業に出席します。後者は実質1日の弾丸ツアーと称していました。これらを異なる時間割で学ぶ多くの学生が交替で行っていました。大学での学びとの両立、安価で済ませることも重要な要素でしたが、体力のある若者ならではのスタイルと言えます。教職員の場合は、宿泊数を増やすなど、健康状態及び業務状況を考慮しながら無理をせず、相応の対策を取りながら交替で参加していました。長距離のため運転手も二人体制で、入れ替わり立ち替わりでの奮闘でした。学生にとっても、運転手を含む大学の教職員が同じ場所にいてくれるというだけで、安心感があったように思います。

3年続いた松本への癒やしの旅行計画

学生は子ども達の心のケアについても考え始めていました。不自由な生活で、友達とも離ればなれになっていたり、時には関係者が亡くなってしまっている場合も見られ、心の痛手は計りしれないと感じていました。何とかしたいと考えついたのが、松本へ親子で呼び寄せ、松本の小学生と交流したり、温泉にでもつかってのんびりしてもらおうという計画でした。先立つものは財源であり、ロータリークラブ、ライオンズクラブ、青年会議所等々、大学の日頃の交友関係を活かして金策に走り回りました。もちろん日本財団や競輪、競馬など日頃縁の無い団体からの支援もありがたく受けました。

幸いなことに、この計画に関しては浅間温泉旅館組合の方々に、子ども向けの料理にすることなどを前提に、2泊の宿泊料を半額にしていただくなど、快く支援を約束していただきました。40人乗りのバス6台を仕立てて、親子で200名を超える方々が松本にみえました。この大所帯ですから、旅館組合の支援無くしては、計画実現はありませんでした。到着後はレクリエーション系の学びを活かした技術も役に立ちました。松本市の教育委員会を通したことで、協力して下さる小学校も現れました。被災地の子ども達と公園に出かけたり、一緒に遊んだりと同世代ならではの交流も深まり、松本市内の小学生にも何か感じるところがあったと思われます。

資料12　被災者を招いてのサマーキャンプ

松本での交流と集合写真

例えひとときであったにしても、子ども達は久し振りにくつろげる、楽しい時間を持てたのではないかと思います。こうした効果を目の当たりにした温泉組合の方々からも喜びの声が上がり、資金的には大変だったでしょうが事業継続への賛意を示していただきました。その結果、この企画は3年間続くことになり被災者からは大いに感謝されました。

学生達が学んだこと、身についたこと

学生は、大きなプロジェクトを実施するための計画づくりを学んだと思われます。実行計画だけでなく、財政的な裏付け、関係者との連携づくりと打ち合わせの活動、支援の輪を拡げる活動など多岐に渡っていました。学生だけの力でできたわけではないのですが、教職員と共に参画したのは、何事にも代えられない稀有の経験になったと思われます。また子ども達や保護者、地域住民、石巻市や松本市の教育委員会をはじめとする公的セクターの方々との協力関係や、学生達に向けてかけられたお礼や喜びの声にも大いに励まされたことは想像に難くありません。何とかしたい、何かできることはないのかとの思いから始まり、これだけのことができたという達成感と共に、地域における絆の強さや、自助、共助、公助の重要性やそれらの関係性への気づきも現実の中で学んだことでしょう。

このような大惨事は起こって欲しくはありませんが、ボランティア活動への参加という言葉

だけではくくれない、彼らの人生観にも多大な影響を与えた期間であったことは間違いありません。この活動は、当時大街道小学校に入学したばかりの小学校1年生の子ども達が卒業するまではと、6年を目途に行ってきたのですが、この間に、大学でも初期から携わった学生は卒業し、新たに入学した者にも受け継がれていきました。

こうした多様な経験を経て、2019年の台風19号では千曲《ちくま》川《がわ》が氾濫し、泥水の被害を受けたりんご園の翌年の収穫実現に向けての復旧支援、2014年11月の白馬村での神城《かみしろ》断層地震による震災支援、県内で生じた災害に対しても緊急の活動に取り組んでいます。

防災士養成講座の開講や地域防災科学研究所の発足

多くの子ども達を失った小学校の痛苦の経験を省みて、3・11では〝つなみてんでんこ〟という、一般にはあまり耳慣れない言葉が頻繁に使われました。こうした防災意識を持った人が多数活躍することが地域防災の要になるとの意識から、また震災支援活動の経験の蓄積から、松本大学は2014年度に防災士養成講座の開講へと向かいました。日本防災士機構に認定された長野県下で唯一の養成校として、広く地域に開かれた取り組みとなりました。近隣の市町村でも職員がこうした能力を備えることが重要だとの認識から、役所の支援を得て本学の講座を受講するケースも増えています。

資料13　防災訓練など

（a）消火訓練　（b）救出訓練　（c）避難時の打ち合わせ

学生に向けては、最初は総合経営学部の一つの教育テーマとして位置づけられ、教科教育の中に取り入れられました。その後、子どもを守るためには教員の中にきちんとした防災意識と災害対応ができる能力の養成が必要との認識もあって、今では教育学部を含め松本大学や短大部の全学の学生を対象としています。指定された授業を受講し単位が取得できれば、防災士資格試験への受験資格を得ることができます。その後、養成講座を受講した一般の方に混じって、学生も資格試験を受け、合格点に達すればめでたく防災士を名乗ることができるのです。講座へのニーズは高まる一方です。

大学は災害発生時の避難場所に指定されています。このこともあり、防災の日には新村《にいむら》の全ての地区町会と緊密に連携を図り、炊き出しを含めた大規模な訓練が行われます（資料13 a、b）。緊急時に必要な品の備蓄も当然のように行われ、常日頃から地域づくり考房『ゆめ』などで、災害時における介護施設への支援の方法、特に幼児や高齢者の安否確認に学生がどのような役割を果たすのかも打ち合わせています（資料13 c）。学生達も安否確認の結果を○○へ駆けつけ報告するようにと地域の方から要請されるのですが、その○○がどこにあるのかもわからない状態から始まり、地図を拡げて確認するという、実践的で地に着いた活動を行っています。

石巻市での震災支援から始まった取り組みも、松本盆地が糸魚川《いといがわ》―静岡断層線上に位置し、いつ我が身に大きな地震が襲うかもしれないとの認識から、まさかの時の準備へと大学の取り組みは伸展しています。こうした背景の下2021年4月には、松本大学地域防災科学研究所を立ち上げ、体制の強化を図っています。研究所では、避難所における弱者対策などユニバーサルデザイン化、避難民のトリアージュ、いざという時の行動様式など、どちらかというと社会科学的なアプローチによる対策を強化しています。東日本大震災での経験を踏まえて、具体的な取り組み方などについての説明を行っており、講演依頼も増えています。また防災士資格を取得した方々からは、取得後にもそれを活かせるような企画を大学主導で実施してもらえないかという前向きな要望も出てきています。地球温暖化の影響か、集中豪雨などが頻発するようになっていますので、備えを充実させたいという住民の意識が反映しているのだと思われます。

6　学生と地域をつなぐ窓口

地域づくり考房『ゆめ』設立の経緯

これまでにも断片的に紹介してきましたが、松本大学には地域連携のシンボル的存在となっている地域づくり考房『ゆめ』があります。大学を調査・見学に訪問される方々はこぞって「その実態を見ておきたい」と言われますので、その機能について触れておきます。

大学は経営系であり、当初はコミュニティ・ビジネスを立ち上げるための大学主導の組織を創りたいと考えていました。それを転換して、学生による「地域課題解決」のための学修・活動拠点にできないか、そのモデルはやはり金沢工大でした。「ロボット」に対して、その製作の場（夢工房）が用意されていましたので、松本大でも学生が地域づくりを考える場となる組織を立ち上げたいと考えたのです。この組織のネーミングも学生に任せました。これには、夢、遊眼《ゆめ》、結芽《ゆめ》の三つの意味を持たせて、地域づくり考房『ゆめ』となりました。学生の夢を実現する場、遊び心が溢れゆとりのある場、地域に散在する地域づくりの芽を結びつける場という三つです。その後、夢を食べるバクをあしらったコウボウ君が、考房『ゆめ』のシンボルマークとして採用されました。

このような経緯を経て、学生の自主的な取り組みを地域社会と結びつける窓口として、地域づくり考房『ゆめ』設立の運びとなりました[15]。地域づくりや地域活性化を地域住民と学生とが一緒になって考える拠点としての『ゆめ』に、大学はスペースを提供。この部屋には地域住民が普通に出入りし、学生と打ち合わせをしたり議論する場になっています。見知らぬ人も入って来ることもあるので、大学としては反社会的集団が暗躍する場にならないように、担当教職員を複数配置し用心もしています。専任の職員には、事務職員以外にも専門員という名称の方を採用し、教員と職員の中間的な役割を果たしてもらっています。その任には、定年退職された高校の教諭や社会福祉協議会に勤めていた方など、学生との関係も良好で、地域との接点を持ち、地域で活躍されている方々と幅広く交流している人材を意識的に集めようとしています。

『ゆめ』を通じた学生の多彩な活動とその進め方

『ゆめ』の活動は、あまりに幅広く内容も多岐にわたるため、具体的な活動の一つ一つについて紹介することは控えます。詳細は「ゆめ通信」の合本版(16)等を参照下さい。ここでは、一つだけ紹介しますが、それ以外の活動はどのくらいの規模で実施されているかについて話すにとどめます。

(a) 廃油を燃料に西日本一周、翌年に東日本一周

学生の企画に対し、事前の説明で審査を受け、事後には財務と活動内容を報告することを条件に財政支援をする「地域づくり学生チャレンジ奨励制度」を設けています。その中の一つが、環境問題も考えた標記のプロジェクトでした。当初のリーダー予定者が体調を崩し、急遽サブを隊長として実行しようとしたのですが、心構えができておらず、止めたいと申し出ました。廃油の供給源としてあちこちにお願いしていましたので、「どうしても行けなくなったら

連絡しろ、迎えに行くから」と送り出したのです。いつ連絡が入るかと思っていましたが、「君たちどこから来たの?」「え〜、立派なことをやっているじゃないか」と各地で歓迎され、海辺の地では取れたての魚をいただくなど楽しくなって、「帰りたい」と思うことはなかったようです。元々人付き合いが苦手で、人前で話すこともできなかった彼が、鹿児島まで到達して松本へ戻ってきた時には、全く別人のようになっていました。新聞記事を見て、芝沢《しばざわ》小学校の先生から彼に「体験談を生徒に話してもらえないか」と要請がありました。行く前の彼なら躊躇無く断ったと思いますが、決行後の彼は即座にOKの返事を小学校に届けたのです。ひと夏の勇気を出した挑戦が、自らの人生を変えたと言っても良いでしょう。この取り組みを後輩の学生に紹介すると、強い興味を示します。自分も変われるものなら変わりたいと思っている学生が多いことを物語っているように思います。『ゆめ』の活動は魅力的に映っているのです。

(b)その他の多数の『ゆめ』の活動

学生の地域での多彩で、時には感動的な活動が、地域紙や全国紙の地方版に掲載されると、それを見た地域住民が「そんなことが学生さんと一緒にできるなら、私達ともやっていただけないか」との問い合わせが舞い込むようになってきました。前にも述べたように、大学としては『ゆめ』を含め年間300回以上、つまりほぼ毎日マスコミに報道されていたことになっていました。多くの要望に対応するため、『ゆめ』の広報担当の学生は部屋の前の通路に掲示板を設け、求められている内容を一般学生にも知らせるように工夫しました。いずれかに興味を持った学生は、部屋に入って詳しい内容を学生や常駐の職員・専門員に聞くことになります。マッチングが成立すれば、要請者（企業や社会団体のこともあります）と会って話を詰めることになります。活動を希望する学生の規模（人数等）、要望（時間や曜日等）に無理がなく、うまく合致すれば具体的な話へと一歩進めます。年間200を越える要望に対して、1日だけの要請という場合も含め松本大学の規模で対応できるのは80件程度が限界です。コロナ禍で対面での活動が控えられたことで、停滞を余儀なくされた時期もありましたが、学生にとっては教員主導のゼミ活動とは違い、学生自身が全てを計画して、意見を出して進めていく体験となっており、学生が地域と直接接触する窓口として機能しています。

失敗は乗り越えるもの　―地域の期待を背負って―

学生の都合で作業が進まなくなったり、寝坊で約束を守れないことで苦情をいただいたこともありましたが、そうした失敗に対しても教職員のフォローだけでなく、学生自身も組織としての新たな手立てを考え出して乗り越えてきています。地域社会との間で信頼関係が築かれていなければ、こうした活動は継続しないのですが、大学全体の地域社会に対する姿勢も良く知られていることもあり、学生の多種多様で地に着いた連携活動に対しては評価も高く、期待も大きいものがあります。新入生は、どのクラブに所属しようかと考えるのと同じレベルで、地域づくり考房『ゆめ』をその選択肢として捉えているような気がしています。それくらい『ゆめ』の活動が、恒常的なものであり、入学前からも良く知られていることの証でもあります。

7　COC（Center Of Community）の採択に集約された松本大学の地域連携活動

松商短大部や松本大学で行われていた地域連携活動は、文部科学省の最初の「競争的資金」である「特色ある大学教育支援プログラム」の採択（2003年）によって広く知られるようになり、大学の外はもちろん大学の内においてさえ初めて自覚され、顕在化しました。このような地域活性化に資する活動は、GP採択後10年を超えさらに幅広く、深く展開されました。その実績に対する評価が、文科省の「地（知）の拠点整備事業」（通称COC）の採択（2013年[17]）に収斂していったのです。

地域活性化に向け、地域社会の中での「地（知）の拠点」の役割を果たしている大学を財政的に支援しようというのがCOCの目的でした。当時、松本大学はCOCの典型となる大学だと認識されていたと思いますが、それだけにプレッシャーもありました。そこで松本大学は「地（知）の拠点」として、これまで何を行ってきたのか？　について、再度の整理から始めました。本章6節までに紹介してきた具体的活動以外にも数多くある実践例を、専門分野の視点か

資料14　松本大学　ＣＯＣの概念図

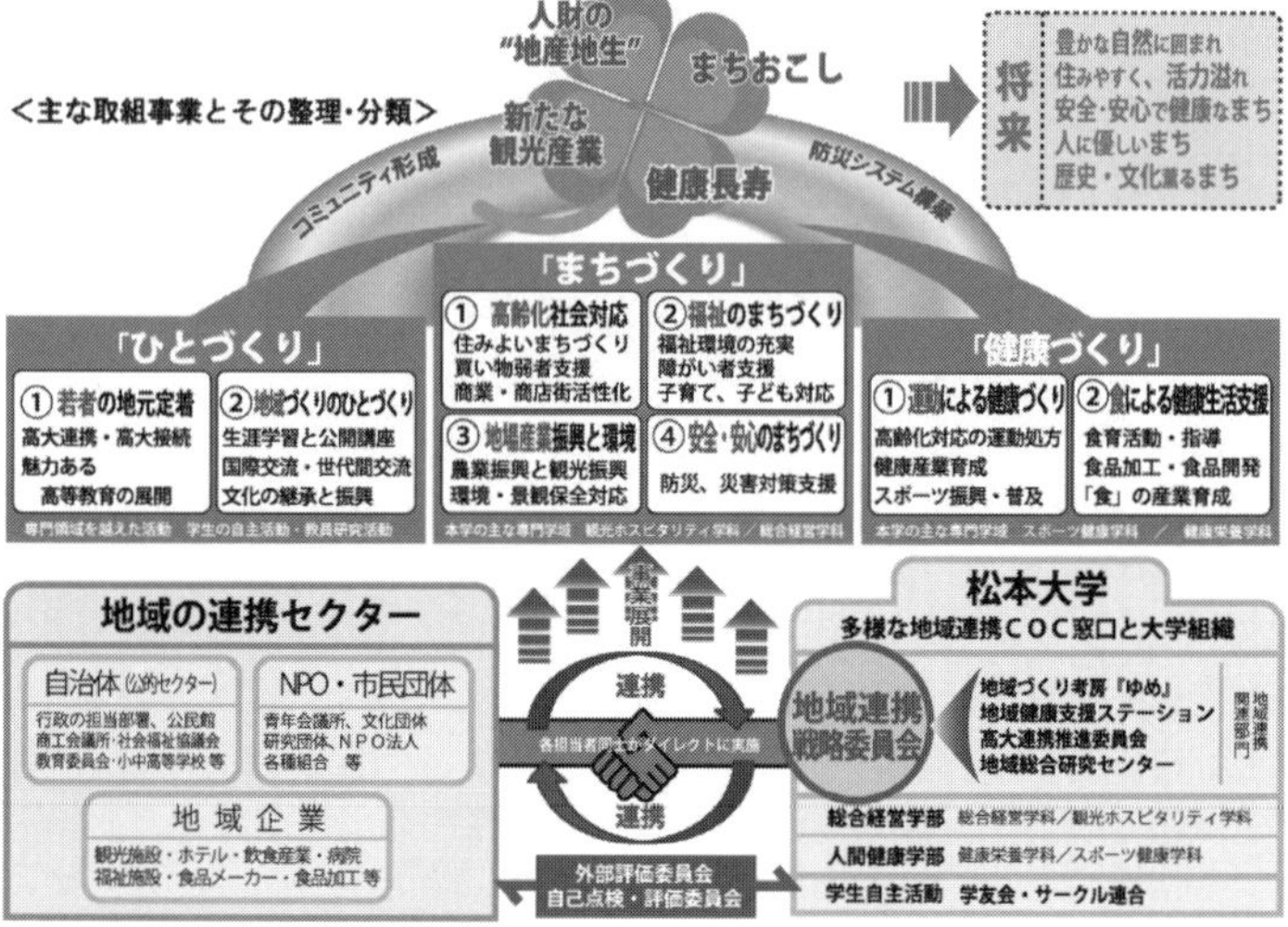

ら分類してみますと、学生が中心の活動だけでなく、教職員を中心とする公開講座開催のような取り組みもありました。

これらは「まちづくり」「健康づくり」「ひとづくり」という三つの柱としてまとめることができました。その結果ＣＯＣにも無事採択されましたが、取り組みのタイトルは「地域社会の新たな地平を拓く牽引力、松本大学」でした。申請書に添付した説明図（資料14）に基づきその概要を俯瞰するとともに、大学の果たしている役割を各柱ごとに表にしてまとめました。これは、松本大学が展開してきた大学教育・大学運営の諸活動の集大成とも言えるもので、この章のまとめとしても相応しいと考えたからです。

第一の柱　まちづくり　―総合経営学部を中心に―

この柱での活動は、資料14にある「まちづくり」①～④において「分野」「活動の視点」と6節までに紹介された活動以外も含めた「主な活動内容」が、左表のようにまとめられました。

●第一の柱　まちづくり

分野	活動の視点	主な活動内容	本文での紹介
高齢化社会対応	買い物弱者支援	野菜の引き売り、注文物資の買い入れ代行	8章1節
	商業・商店街の活性化	高齢者の溜まり場づくり、地域づくりインターン制度	8章1節
	住みよいまちづくり	移動の自由を保障する公共交通の充実、文化面での住環境の整備、文化遺産の保全	
福祉のまちづくり	障がい者支援	ＵＤ化した建物・施設の普及、砂利道等車椅子での移動可能性の確保	
	福祉政策、福祉環境の充実	低床バスの普及の提言	
	子育て・子ども対応	問題点の洗い出し、子ども対象のイベント開催、ヒカルの碁囲碁大会開催	
地域産業振興と環境	農業振興と観光振興	グリーンツーリズムの探求、中山間地の活性化、棚田の保全と利活用、子どもと農業をつなぐ－馬耕の体験、田んぼでのどろんこ遊び－	6章4節
	環境・景観保全対応	アルミと鉄缶の分別収集、使い捨て容器回収、ペットボトルの蓋回収、巨木保存、落ち葉回収と焼き芋大会、廃油燃料車での日本一周	8章6節
安全・安心のまちづくり	防災、災害対策支援	町内会消防団への入会、防災士養成講座、「東日本大震災」等災害支援	8章5節

第二の柱　健康づくり　―人間健康学部を中心に―

二つ目の柱は「健康づくり」です。これらは主に、健康栄養学科とスポーツ健康学科を擁する人間健康学部が担っている領域になります。この項目にくくられた内容は、①運動による健康づくり、②食による健康生活支援と、わかりやすく2分野となりました。

●第二の柱　健康づくり

分野	活動の視点	主な活動内容	本文での紹介
運動による健康づくり	高齢化対応の運動処方	健康運動指導士資格取得、インターバル速歩による健康づくり、中国嶺南師範大学（提携校）への普及活動	8章2節
	健康産業の育成	ホテル、病院、介護施設などへの支援、行政とのタイアップ	8章2節
	スポーツ振興・普及	野球、女子ソフトボール、サッカー部員が児童生徒に技術等を指導、各競技の底辺拡大、児童生徒の体力低下阻止、運動能力の向上	
食による健康生活支援	食育活動・指導	鹿の解体、ジビエ料理の普及、レストラン経営、サンクスレシピ集発行、在宅介護での栄養管理	8章3節
	食品加工・食品開発	大学は美味しいフェア!!への出店、地場の特産品を用いた商品開発	8章3節
	「食」の産業育成	JRと連携した駅弁開発、高層道路SAで販売するお土産品開発	

第三の柱　ひとづくり　―全学挙げての対応―

柱の三つ目は「ひとづくり」がテーマになっています。COCの採択時にはまだ設立されていませんでしたが、今なら学校教育学科を持つ教育学部が担当する部門に当てはまりそうです。そこで当時は、大学教育を担う全ての学部、学科が力を傾注していた取り組みを、①若者の地元定着、②地域づくりのひとづくりという視点でくくってみました。

●第三の柱　ひとづくり

分野	活動の視点	主な活動内容	本文での紹介
若者の地元定着	高大連携・高大接続	商業系高校との連携協定、学部学科増で進学先の選択肢増強、出前講義	8章4節
	魅力ある高等教育の展開	県下初の本格的高大連携・高大接続の典型例構築、進学希望の大学化へ	8章1節
地域づくりのひとづくり	生涯学習と公開講座	ノーベル物理学賞受賞者(益川・小柴・梶田)三氏の市民向け講演会開催、テーマ別、単発の各種公開講座実施、社会人向け聴講生制度の充実	
	国際交流・世代間交流	インバウンド対応の通訳者配置、日韓高校生や大学生間の国際交流支援	
	文化の継承と振興	「囲碁」「生け花」の授業化、プロ棋士を招いた市民向け囲碁講座、囲碁大会の開催と会場提供、生け花展の開催、日本棋院からの感謝状	

益川《ますかわ》、小柴《こしば》、梶田《かじた》という三氏のノーベル賞受賞者を次々と招いた講演会では、一般市民に加え、高校生の聴講も見られました。

「地（知）の拠点」として松本大学が目指す地域づくり

以上見てきたように、松本大学は地域社会において「地（知）の拠点」としての役割を果たし、健全な大学経営と共に、地域社会と結びついた教育を展開し、地域社会において魅力に溢れ存在感のある大学としてあり続けようとしています。

松本大学や学生は、「地域で活動する多様な組織や個人と協力し、学ばせていただきながら、資料14の右上に記されているように『豊かな自然に囲まれ、住みやすく、活力溢れ、安全・安心で健康なまち、人に優しいまち、歴史・文化薫るまち』、このような地域社会の新たな地平を、教育・研究活動を通して、全力で切り開こうとしている」とまとめることができます。

【8章の参考・引用文献】
（1）「ＳＤＧｓうさんくさい?」朝日新聞7面（2022年6月19日付）
（2）「冷笑の空気 でもやらないよりいい　たかまつなな」同右

（3）「SDGs本気さ見抜く就活生」朝日新聞29面 論壇（2022年11月23日付）
（4）「『質の高い教育』学生の提言」朝日新聞（2021年9月26日付）
（5）白戸洋『まちが変わる　―若者が育ち、人が元気になる松本大学生がかかわった松本のまちづくり―』松本大学出版会（2009年3月）
（6）「まつもと市議会だより」Vol.199（2022年12月1日）16ページ
（7）住吉広行「松本大学の地域連携とスポーツ教育・活動の関係」『現代の高等教育』IDE No.620（2020年5月）52～56ページ
（8）Haskell WL et al., Effects of exercise training on health and physical functioning in older persons. The 1997 Nagano Symposium on Sports Sciences. ed. by Nose H et al., pp.399-417, 1998
（9）K.Nemoto et.al. Effects of high-intensity interval walking training on physical fitness and blood pressure in middle-aged and older people,Mayo Clinic Proceedings　82：803～811,2007
（10）能勢　博『ウォーキングの科学』BLUE BACKS（2019年）、
『いくつになっても自分で歩ける！「筋トレ」ウォーキング』青春出版社（2015年）
根本賢一他『10歳若返る！「インターバル速歩」の秘密』こう書房（2005年）
（11）廣田直子「食の課題解決に向けた質の高い学士の育成　―地域の食に関する課題解決への意欲と実践的能力を有する食の専門家の育成―」大学教育推進プログラム【テーマA】『地域総合研究』

第10号 Part1　135～150ページ（2009年6月）
（12）「在宅介護の栄養管理学ぶ」信濃毎日新聞（2020年11月19日付）
（13）「「大学は美味しい!!」プロジェクト松本大学実行委員会 新たな学びの場の提供―小学館『大学は美味しい!!』フェアへの挑戦―」『地域総合研究』第14号 Part1（2013年8月）125～144ページ
（14）尻無浜博幸、松田千壽子「松本大学東日本大震災災害支援プロジェクト　平成23年度活動報告『絆を育み、長期支援を！　―地方大学のできる支援を模索して―』」『地域総合研究』第13号 Part1　地域総合研究センター　松本大学（2012年7月）125～152ページ
尻無浜博幸『「東日本大震災への取り組み　―東日本大震災災害支援プロジェクト」松本大学の挑戦　―開学から10年の歩み―』松本大学出版会（2015年3月）167～170ページ
（15）福島明美『地域づくり考房「ゆめ」　松本大学の挑戦　―開学から10年の歩み―』松本大学出版会（2015年3月）188～195ページ
（16）ゆめ通信（合本）　松本大学 地域づくり考房『ゆめ』（2011年3月）
平成20年度　新たな社会的ニーズに対応した学生支援プログラムに選定された〝若者の地域定着につなげる地域活動の支援　―地域まるごとキャンパス「地域づくり考房『ゆめ』」―〟の活動報告のため、創刊号からVol.18までを合本して発行された。
（17）木村晴壽・赤羽研太　地（知）の拠点整備事業（平成25年度）「地域社会の新たな地平を拓く牽引力松本大学」『地域総合研究』第15号 Part1（2014年9月）143～147ページ

9章 帰納的教育手法の開発

―研究と教育、その類似性―

前章までで示した、地域社会を舞台とした活動の具体例から、教育論的にはどのような内容が引き出せるのか？　これをこの章で考えます。これがII部の最初に述べた、失われた30年を打開する決定打になる可能性があると思っているからです。本題に入る前に、まず先述の学びのフィールドになっている地域社会をどう見ていたのかを簡単にまとめておきたいと思います。

1　若者は社会の中で育つ　―地域社会は解決すべき課題（教材）の宝庫―

前章までで、松本大学は地域社会の課題解決を地域住民との協働で探求する活動を通して学生の成長が図れていることを示してきました。

社会科学の課題は地域社会の中にある

学生が「どう考えても不合理でおかしいのに、どうしてこうなっているの？」と、直感的にも把握できる問題を前にして、いろいろ調べ考えた揚げ句に「こうすれば良いのに！」と言えるような課題が地域社会の中に山ほど見つけられます。これはロボコン（課題）において勝利（課題解決）を目指すことに対応しているのではないか。これが、地域連携活動の経験を踏まえて思い至ったことでした。幸いなことに、こうした方向での学びをサポートしてくれるのが、6章で明らかになった長野県、松本地域が持つ民度の高さ、〝教育力〟の高さでした。Ⅰ部でも教材の設定など、その発掘が授業の成否を左右する可能性があると示唆されていました。

Win–Win の関係性

「教材は地域社会の中にある」という姿勢が形成されると、大学は地域社会を教育のために利用し、地域住民は大学教育者の援軍とされているだけのように聞こえます。しかし、活力ある若者の存在それ自体が地域を活性化させ、さらに大学の専門的知見に基づき、地域課題解決への提言もしています。必要ならば、大学の設備や備品も大いに利用できました。こう考えると、地域社会と大学はWin-Winの関係にあることがわかります。松本大学は地域貢献と言いながらも、その実は互恵の関係で地域連携を標榜してきているのです。

2 松本大学の実践例は何を語るのか ―現場から理論へ―

松本大学が行っている地域連携、地域貢献、地域活性化の諸活動はいったい何だったのか？これを明確にし、理論化しようと思ったのにはいくつかのきっかけがありました。一つは6章3節（175ページ～参照）で紹介した、特色ある大学教育支援プログラム（特色GP）への応募で、採択にこぎ着けたいという強い意志にありました。これは以前にも述べていましたが、ここでは2点に絞り、再度しかもより詳細に振り返っておきます。

地域の中堅校の教諭の指摘

私が学校法人松商学園に赴任した頃、学生募集のために地域の中堅高校を訪問していた時でした。前でも少し触れましたが、「私達が貴校に送っているのは、世間のマジョリティの生徒達です。こうした生徒を育てられないようなら貴学の存在価値はないでしょう」と痛烈に指摘されたことです。「あなた方は偏差値の高いごく一部の人たちで構成される学問の世界で生きてきて、世間の大半を占める子ども達の実情など全く見てこなかったでしょう」「こんなことがわからないようではどうしようもないと言って片付けられてしまう。しかしそれでは、これからの社会を担う多数を育てられない、つまり存在意義がないということではないですか？」この怒りにも似た、しかしどこか期待も込められている問いかけへの回答を示す必要があったのです。この教諭はその後進学校に転じられたのですが、これくらいのことが本音で言える先生の存在は、これからの教育を改革していく上では大変貴重です。

誤解を解く必要性

6章で触れた通り松本大学の学生が、課題解決に向けてフィールドワークを行っているところに地域紙の取材が入っていました。独居老人の庭に、木が高くて捥《も》ぎ取れない柿の実がたわわに稔っています。こうした風景はあちこちで見られたため、学生はこの柿を利用して何か製品に加工できないか、それを地域おこしに活用できないかと考えていたのです。くっきりとした青空に鮮やかな柿色が映え、学生が木に登っている写真が掲載されました。これを見て、「松本大学の学生は机に座って勉強できないので、外へ出て木に登らせ実を採ったりして時間を潰し、単位を付けているんだ」と、心ない声が聞こえてきました。学生を指導していた地域連携活動に熱心な白戸先生は、「そこまで言われるなら、大学のためにもならず、やめた方が良いですね」と肩を落としました。これは意識しているかどうかは別として、偏差値を重視する立場からのもので、それからはずれた教育は評価できないという主張のようにも思えます。私達が実施している意図や考えが、きちんと伝わらなければ、いくら良いことをやっていてもこうした指摘に負けてしまうのです。大学が開学した当初は、業界が受験生に示す偏差値による大学ランキングではBF（ボーダー・フリー）となっており、地方、社会科学系の単科、後発という崩壊しそうな大学の条件を全て揃えていたのですから、そのような〝偏見〟にも耐えなければいけませんでした。「現在の尺度では最後尾にいるかもしれないが、価値観が変わって『後ろ向け！後ろ』となれば最先端を歩んでいることになる」と強がっていましたが、裏付けが必要でした。これができなければ、誤解に基づく批判に対して有効な手が打てないことになります。

実際大学が開学して1年目に、白戸先生の関係で東京大学大学院の学生達が社会教育を担当する佐藤一子教授と共に本学を訪問されたことがありました。こちらはまだ1年生しかいないので、院生の相手も彼らしかいません。しかし、院生の反応が面白かったのです。「内容的にはまだ物足りないことが多いが、1年生なのによくしゃべるな。僕たちが大学へ入学した時、こんなに話せていたかな？」「1年目でも、地域の中でいろいろやってきたこと、他大学の学生と交流したことなど、自分たちの実体験を語っているので、それには事欠かないということでしょう」と話し合っていました。このことは、学生生活の中で偏差値とは異なる価値観に基づく育て方、社会に出てから通用する実力の養成手法があり、その路線上であれば、対等に渡り合うことができると思わせてくれたのです。自分で考えながらの学びを通して、納得し、血肉にしてきた内容だから、自信を持って語ることができたのです。Ｉ部においても、納得と理解が進めば、かなり長い文章も自分の言葉で表現することができるようになると指摘されていましたが、相通ずるところがあるようです。

「帰納的教育手法」の概要

さて、この章の最初の課題に戻ります。これまで見てきたいくつもの具体例から、何を学び取れば良いのでしょうか？　松本大学は２００３年の特色ＧＰに申請する際に、かなり議論を重ね、下図に示された「帰納的教育手法[1]」を念頭に置くようになりました。この図を見ながら、手法を説明しようと思います。

資料15　帰納的教育手法の概念図

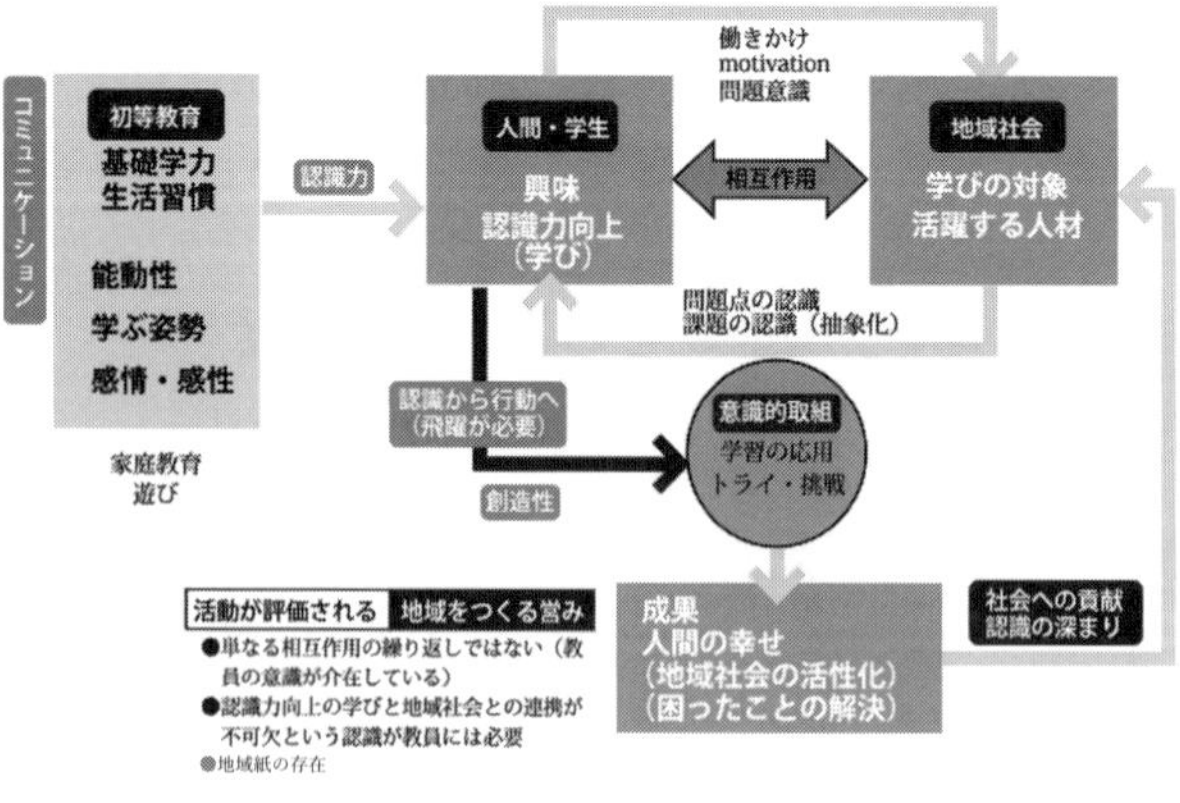

学生はまず地域社会に働きかける中で「なぜこんなことが起きているのだろう?」と地域社会の中にある困っている問題を意識することになります。これが学びの動機づけとなって、地域社会に出て住民や営業者、企業などに意見を聞いたり、質問したりして、現実を理解し始めるのです。その成果を大学に持ち帰り、仲間と議論したり、図書館へ出かけ文献に当たってみたり、インターネットで検索したり、教員にも疑問を投げかけることになります。そのことで、新たな問題意識が芽生えてきます。「この点に対する理解が不十分だったからこういう矛盾が生じてしまうのだ」「こういう点に目を向けていなかったな、だからそこを突かれるのだな」と自分達の考えの不十分さを客観視できるようになります。

そうした問題意識を持って、さらに地域社会へ出かけ、状況を新たな視点からより深く観察します。自らの問題意識と現実社会との乖離あるいは整合性を見極められるようになってきます。調査―探求―新たな視点―調査……、このような地域社会での調査・観察と大学内での学びを往還する度に進化する、螺旋型の学びを繰り返していくと、自らの問題意識はより深く鮮明になってくるだけでなく、課題の捉え方はより普遍化し、より抽象化されてきます。こうなると課題の本質が見え始め、捉えやすくなってくるのです。しかし、ここから先へ進むには飛躍が必要なのです。ある時点でこれが正解に近いのではないかと思えてくると、これが私達の解決策だと主張したくなってきます。これがなぜ飛躍なのか。それはその主張や解決策が必ずしも正解かどうかはわからないからです。この点が、正解が予めわかっている試験問題を解いているのとは大きく違っています。間違っていれば非難されることがあるでしょう。それにもかかわらず提案するのですから、恐ろしさもあるはずです。これを乗り越えることが飛躍です。

どんな課題でもこうした危うさはつきものです。というのも、もし既に正解があるのなら、それに従って社会は運営されているわけで、それを課題と認識する必要はないのですから、そもそも課題ではないのです。どうすべきかを考えなくてはいけない問題に立ち向かう時、失敗はつきものだという、居直りにも似た姿勢を手放さないでいる必要があります。課題に対し間違いを恐れて「こうしよう」と言わない姿勢を貫く生徒が育てられたならば、大学に入ってからこうした飛躍を恐れないという態度を形成するのは難しく、結果的には失われた30年をいつまでも引きずってしまうことになってしまいます。今の日本では、初等教育から高等教育まで同じ問題が重くのしかかっているのです。これは「課題解決型の授業をしています」といった形式を整えただけでクリアできるような甘い認識では到底打ち勝つことはできない深刻な問題です。松本大学が実践的に開発してきた、現実から出発して理論へと遡る帰納的な教育体系は、形式を整えただけでできるものではありませんでした。周囲から揶揄《やゆ》されることがあっても、内実を伴うことを死守してきており、実践の中で学生の成長が確かめられてきてもいるため、現状打破への救世主となる可能性を示していると自信を持って言えます。

学生の学びに対する外部からの評価

さて、このような主張や提言とそれに基づく成果は、地域紙に報道されます。担当した学生達のコメントが実名で報道され、地域住民の意見や期待についても記されることになります。そのことによって学生達も自分たちが実行してきたことや主張に対して、客観的に見ることができるようにもなります。こうした評価に気を良くした学生は、さらに深掘りしようと精を出したり、派生した新たな課題に取り組もうと意欲が高まっていきます。

このようなマスコミによる日常的な報道等が、学生にとっての評価指標にもなっているのです。指導教員や大学内での評価だけでは得られない高揚感は、何ものにも代え難い稀有の効果をもたらしてくれています。こうしたことを考えると、長野県や松本市のように、地域紙が発達し、地域住民の鋭い眼がなければ、帰納的教育手法も機能しないのかもしれません。即ち松本のような民度の高い地域だからこそ成り立っている可能性があることにも注意を払う必要があるのかもしれません。逆に言えば、全国どこにおいても成り立たせるためには、学生の諸活動が大学以外でも客観的に評価され、かつ公表されるようなシステムを創り上げることが要請されているとも言えます。

理論化のメリット

先の図を描いたのは、6章3節で紹介した文部科学省の「競争的資金」である、特色ある大学教育支援プログラム（教育ＧＰ）に応募しようと合宿を組んでいた時のことでした。周囲からの批判的な見解に対し「そんなに言われるならもうやりたくない」と言っていた白戸先生ですが、資料15の図を見て「そうか、自分達がやっていたことはこういうことだったんだ」と納得し、その後ますます地域連携の活動に力を注いだのでした。理論化され、それがわかりやすく図示されたため、自分達がやっている諸活動の本質が見える化され、その背景がしっかりしたため安心して実施できること、しかもそれが全国的にも注目されているため、自信を持って続けることに重要な意味があると認識できました。さらに学生が能動的に学修に取り組むようになったことを実感できたことも、手法を広める上では強い確信となっています。

実際この図があることで、松本大学や短大部でも自分の専門分野において、誰もが容易に展開できるようになってきたと思われます。また理論化により一般化されているため、こうしなければならないというような定式化ではなくなっています。そのため、各教員は自分の専門分野をベースに、手法のエッセンスだけを取り入れて独自の課題解決型教育へと乗り出すことができました。むりやり型にはめ込まれることもなく、地域連携型で課題解決を目指すアクティブ・ラーニングを自らの自由裁量でのびのびと担当できたことが、大学・短大として広く取り組め、特色ある大学教育として敷衍《ふえん》できたポイントになったと思います。特に飛躍の段階があることを認識することで、大学教育として学生に負荷をかけることが要請され、それが逆に学生の成長につながっているという認識を持つことができます。もしこの飛躍の段階がなければ、ただ単に社会見学を繰り返し、その感想文や聞いたことを報告するだけで終わってしまう可能性があり、これでは実質を伴わない形式を整えただけの取り組みで終わってしまうでしょう。確かに、課題解決型の学びの重要性の認識と共にアクティブ・ラーニングという教育手法が脚光を浴びています。ここでも形式が整っていればアクティブ・ラーニングを実施しているということになるようです。実際上手に行われているケースもありますが、個人的な能力の高さに帰されてしまっているようで、多数の教員が組織的に成果を上げているとは言い難いのではないでしょうか。

誤解に基づく批判的な見解への回答

机の前に座っていられないから云々の、学びに対する表面的な見方に対しても、帰納的教育手法は的確な回答となっています。地域紙に取り上げられた特定の日の写真は、授業のある瞬間を捉えています。しかし研究的要素を含み、試行錯誤を繰り返しながら本質に迫ろうという手法を採用している中では、こうしたスナップ・ショットはそれほど重要な意味を持っていません。ビデオを回し続けて、映画のように長いスパンでどういった意味を持っているのか、持っていたのかという視点で見なければ本質は見えてこないのです。一コマ一コマで常に完結するような授業は、教員側で準備した内容をその時間内で学生が消化したかどうかを見るには適切かもしれませんが、自ら考え、実行し、まとめ、検討、再考を繰り返しながら見解をまとめていくといった螺旋型のプロセスを大事にする課題解決型の授業の評価においては不適切でさえあります。

また1本のビデオを通して見ただけで評価できるかどうかでさえ、怪しいのです。それは先にも指摘したように、こうした課題解決型の取り組みで提起された解決策（案）が常に正しいと保証されているわけではない、言い換えれば間違った提起になってしまっている可能性があるからです。これは何も逃げ口上で言っているのではありません。正解の決まっていない問題については、学びの成果を主張しても結果的には誤っている可能性は常にあります。だからといってそれが学びの成果を全否定するものではありません。

教育の成果は、短い時間で現れるものではないとよく言われますが、特に間違いに対する対応でその姿勢が問われることになるのではないでしょうか。間違いに気づいて、それを克服しようとする構えを持てるようになるかどうかを問うべきでしょう。

3　課題解決とは「未知」を「既知」へ変換すること　―研究と教育の類似性―

松本大学が提唱した「帰納的教育手法」を示す図は、多様な自然現象を実験データや観測データから、どう解釈するかその理論化を図る研究の流れと酷似しています。この意味では、理論物理学を専攻していた私にとっては、「帰納的教育手法」は比較的馴染みのあるプロセスでした。なぜ類似するのかについて、この節で考察したいと思います。

研究活動の概要

ここでは、「課題解決力の育成を目指す教育」と「研究活動」の類似性はどこに起源があるのかについて考えてみます[2]。研究活動では、例えば理系の場合を例にとって考えると、実験や観察でこれまでの解釈では理解できない、不思議だと感じることがあれば、「こうではないか？」と仮説を立ててみます。その視点でさらに実験データや観測結果を眺めてみると、直感的には良かったアイデアでも、詳しく見ると食い違うことが出てくるものです。そこで仮説を修正し再度試み、必要ならば「こうした実験をして欲しい」という要望も出てきます。こうした探求活動を続け、その途中の段階、あるいは満足いくところまで詰めれば、学会や研究会などで発表し、他の研究者の批判的意見を聴取したりします。最終的には、研究成果は論文にまとめ、学会誌に投稿し、レフェリーの判断を仰ぐことになります。このような研究上のサイクルは、次図に示されるようなもので、筆者が日常的に行っていた内容そのものです。

論文にまとめた内容は、その時点での執筆者なりの「正解」であり、その後も同じような

資料16　研究活動の概念図

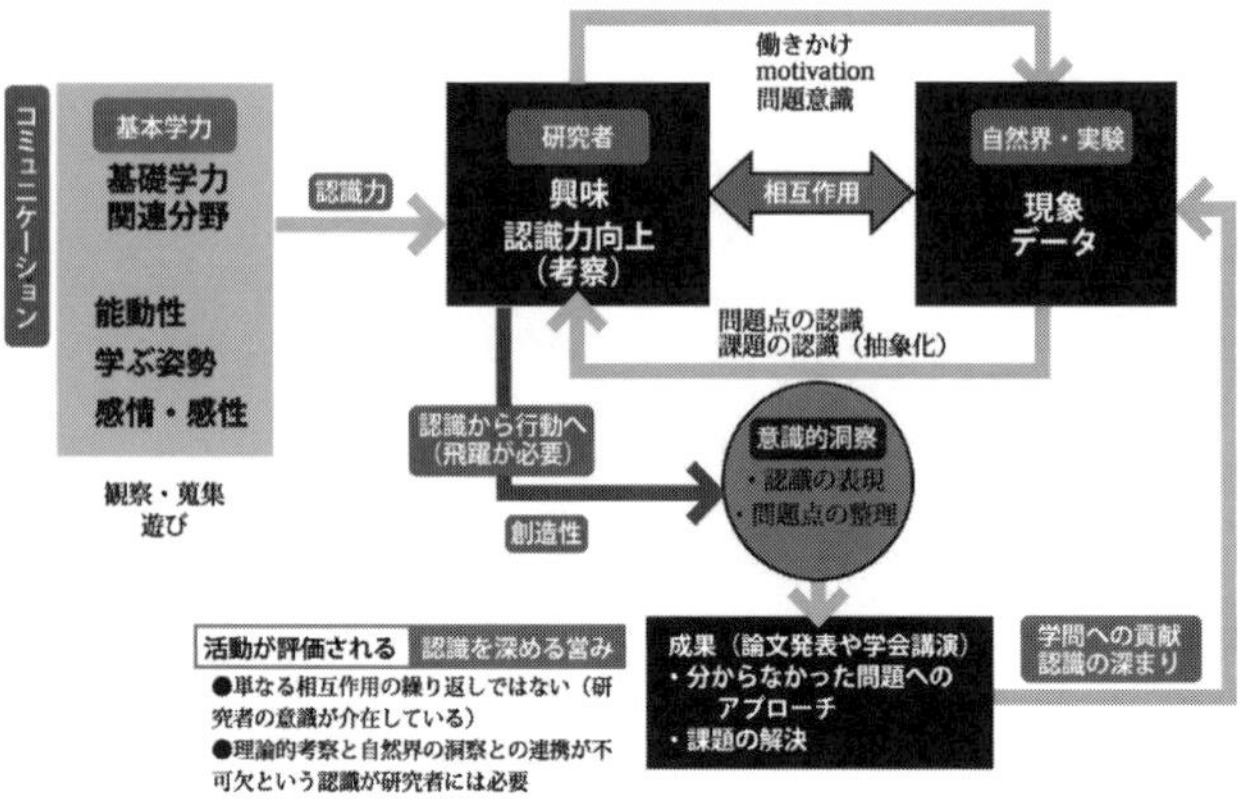

テーマで研究している人とは、国籍を問わず常に批判を含む意見交換を行って、改訂をしたり食い違う意見がある場合には、こういう実験データがあればどちらが優位か判別できるなどと提案したりもします。こうして、世界を相手にした研究仲間ができてくるのです。会ったことがなくても、論文上ではよく知っている間柄であるのはよくあることです。多くの研究者を「なるほど、素晴らしい」と納得させることができる論文は、他の研究者の論文にも引用され、インパクトファクターという指標によって高い評価を受けていると見なされることになります。また雑誌そのものにもランクがあって、ランクの高い雑誌はよく読まれ、掲載されれば、厳しいレフェリーの審査をクリアしたということで、高い評価を受けていることも付け加えておきます。

研究活動と帰納的教育手法の類似性

さて、この研究活動の概念図を見れば、前節で示した帰納的教育手法の概念図と瓜二つであることがわかるでしょう。なぜ似ているのか。それは何れも「正解」が定まっていない問題に対して探求し、「これが正解ではないか」と提起することが求められる点が共通であり、飛躍が必要なのは、独自の見解を主張する研究ではそれが命なので当然ですが、課題解決型教育でも同様に重要だったからです。

研究活動の場合、これが正解と論文で主張してみても、本当に正解だとは限りません。例えばノーベル賞を受賞した業績であっても、多くの場合それ以外のいくつもの「不正解の主張」が何らかの意味で誤りであったという事実が積み重ねられた結果、ようやくたどり着いていることに思いを馳せていただきたいと思います。全ての論文が正しければ、ノーベル賞学者は無数にいることになるでしょう。誤った「正解」は無意味ではなく、人類の理解を前進させる上で多大な貢献をしているのです。間違いを恐れていては主張ができませんし、研究活動ができません。

どれが正しいか、何が正しいか、こうした論文という、あるいは学会や研究会というオープンな検証の場が保障されてこそ、進歩や発展が可能になります。この点、I部で指摘の「何でも言えるクラスルーム」という環境は、課題解決型教育を展開する上で、最も重要な柱になっているという指摘は肯けます。

教育の場でオープンな雰囲気がない場合、「覚えておけ」と〝正解〟を押し付けられ、十分には納得できていないにも関わらず鵜呑みにしてしまう。覚えておけば試験の点数が高くなるので、わかったような錯覚に陥ってしまっていることも多いのではないでしょうか。点数はとれるので偏差値は高いかもしれませんが、根本的な理解に届いていたのかという点では不安が残ります。これが現在の日本の停滞状況の裏側に潜んでいる現実ではないでしょうか？　マーク式の試験では、適当にマークしても正解という場合がありますが、それは理解できていることとは全く別のことです。サイコロを振って出た目の数が当たっていたのは、ラッキーかもしれませんが、学生・生徒の成長という視点で見て無意味です。

「未知」を「既知」へと変換していくことは、研究活動の神髄であり、課題解決への一歩です。こう考えると、現在求められる「どうすれば良い」を「こうしたらどうだろう」と探求する課題解決型の教育というのは、大学教育の中で学生にも〝研究活動〟を実践させることに他ならないと言えます。そうした教育の指導には、研究者的素養を持っている教師でなければ、何かしらの困難を感じるでしょう。少なくとも教育者自身が、一時期であっても研究活動に没頭したという経験が必要なのではないでしょうか。「正解」はこうなので、覚えておきなさいといった姿勢では、課題解決型教育はできません。必要だとの認識があってもなかなか課題解決型教育が実現しないのは、この点をクリアすることの難しさがポイントではないかと思います。

ある大学に招かれて、「帰納的教育手法」について話したことがありました。「あなたは理論物理が専門のようですが、教育史などを研究されたのですか？」「いいえ、そのような分野に時間をかける余裕はありませんでした」「今日話された内容は自分自身で考えついたのですか」「そうです。どうすれば目の前にいる学生に力を付けてもらえるかだけを考えて、たどり着いた結論です」と、教育学を専門とする先生との会話が弾みました。

8章の例や9章のここまでの考え方は、他大学の先生だけではなく入学してきた学生にも初年次教育の正課授業において伝えています。「松本大学はあなた方をこのような考えで育てようとしています、だから言われたことをただ受け入れるという受け身の姿勢ではなく、自ら能動的に働きかけようとしなければ、高い授業料に見合った成長はできませんよ」。

試験問題も予め伝えておきます。「この授業を聴講して、今後の3年半どのような大学生活を送ろうと考えるようになりましたか?」。正解を記すこと、何か覚えておくことが試験に臨む準備だと思い込んでいる学生が多い中で、そうではないことを知らせる目的も兼ねています。また、講義の中で紹介される事例に触発されて、「自分ならどういうことをやりたいのか」などを日頃から考えてもらいたいという願いも込められています。

課題解決型教育の実現に必要なこと

本当に課題解決型教育を推進したいなら、教員に「研究活動を実践できる研修の場」と「自ら考えながら探求できる時間的余裕」の保障が不可欠です。それには超過勤務が常態化している現状を解消できる体制の実現、そのための勤務内容の合理化と人員補充、クラス当たりの人数の減少などが最低限の条件です。それを伴わない施策は、ただ口で言っているだけの偽物と言わざるを得ません。前者の合理化に関しては、最近課外活動を地域社会を含む外部に委託しようとする動きも見られます。地域の〝教育力〟を学校に持ち込もうとするコミュニティ・スクールという発想は以前からも提唱されています。(3)「教師集団が知恵を出し合って実施される現場の工夫」「行政的支援」の両方が求められています。後者の人員補充やクラス当たりの児童・生徒数縮小は、未来への先行投資だと考えるべきです。先進国となり、海外からは裕福だと思われている日本で、できない理由はないと思います。

4　教育と研究の分離の発想に見え隠れすること　―基礎・基本の重要性―

課題解決型教育を進めるには、研究と教育の統一が必要不可欠であると言ってきました。大学においても研究中心の大学と教育に重点をおく大学とに分類しようとされています。このとき研究型では、研究者は時間の多くを教育に振り向けなくても良いが、教育型では研究している時間があれば、その時間を教育に割いた方が良いというような暗黙の認識があるように思えます。このような教育観に基づいた〝教育者〟では、課題解決型学修の指導は覚束ないというのが、これまで述べてきたことの結論です。

教育の成果を研究に活かす研究者

私の若い頃の経験ですが、次のような出来事がありました。米国で開催された国際会議に参加した時、仲間内でワインを飲みながら教員生活についてざっくばらんに話していました。それぞれが置かれた待遇のこと、支払われる給料のことなども話していましたが、教育にどの程度携わっているのかに話は及びました。それぞれ良い論文を書いていて、名前の知られた研究者でしたが、「僕はこの2年間、受け持ち授業コマ数も結構あって、しかも新しい分野も持たされた。それでかなりの時間を割いて大学院生向けの授業の準備をしたけれど、それは無駄ではなかった。その知見を活かして書いた論文が、皆さんもご存知のこの前発表したものだったんだ」。それを聞いて「ふ〜ん、州立大に勤める名の通った彼でもそんな感じなのか。それでも、研究時間が大幅に減ってしまうという一見厳しそうな条件を逆手にとって、新機軸の論文を書いているのはたいしたものだな」と思ったのは、40年近くも前のことですが、今も鮮明に覚えています。一流の研究者が教育に、最初はいやいやだったかもしれないけれど、とにかく関わることによって、自分の研究活動の幅を大いに拡げていたのです。一般的に研究活動を進めていると、必要に応じて新しい知識を求めなければならなくなってきます。こんな時、よくまとめられた先人が残してくれた書物を読みすすめ、ノウハウを自分のものにしていくというのは、日常的に行われていることです。時には、当の著者を呼び寄せ、理解を深めるために講話をしてもらうこともあります。「ロボコンに勝ちたいから必死で学ぶ」というのと、「研究を進める上でどうしても必要になってきたから深く学ぶ」というのはどこか似ています。

研究と教育を分離していては課題解決型教育は困難

研究と教育の分離という発想で、研究費の重点配分を行い、ますますその傾向を強めているのが最近の日本の動向です。限られた予算で、限られた年数で結果を出させようとするのです。成果を査定して、その研究を継続するかどうかは、予算措置がなされるかどうかで決まるのです。そうなれば、予算の付いた研究でも、短い時間の中で論文などにまとめ、これがクリアな成果だと主張する必要に迫られます。息の長い研究、直ぐに役立つかどうかわからない基礎的な研究は、「競争をさせて、予想されるであろう成果が確実に期待できるかどうかで良否を判定する」という近視眼的な競争的学術支援システムには適合しません。資金を得るために貴重な研究時間を割いて書かなければならない申請書に「何の役に立つかわからないけれど、面白いからやっている」という趣旨を書いたら、採択されることはまずないでしょう。ノーベル賞を受賞された研究者は、「基礎研究の成果というのは直ぐに役立つかどうかわからないが、いつかそういう時期が来るかもしれない。もともと直ぐに何かの役に立てようとして研究を進めてきたのではなく、面白いから、不思議なことをなぜそうなるのか理解したいから」といった内容をよく口にされています。「直ぐに役立つような成果は直ぐに役立たなくなってしまう」という表現でも、基礎研究の重要さが強調されています。

量子力学が確立する過程において、現在当たり前のように活用されている世界が、当初から展望できていたかというと、アインシュタインが「神はサイコロ遊びをしない」とその確率論的解釈に異を唱えていたくらいですから、そんなことはなかったと思います。しかし、本質に関わる一点を突破できれば、その後には思いもかけない大きな可能性が開けるのです。それが一見何の役にも立たないように見える基礎・基本の解明が持つ、人類への貢献です。時流に乗ったその場しのぎの近視眼的発想では、成果までもが近視眼的な範囲にとどまってしまいます。

誰にも求められる課題解決力

最先端の研究は、当然ながら誰もがこれこそが研究活動であると見ているでしょう。しかし、8章で見たような身近に存在する課題の解決に対して、その背後に研究活動と同じプロセスが必要であると感じることは難しいかもしれません。なぜなら、それを研究活動と言うなら、日常生活においてどうしたらよいかわかっていない課題に向かい合ったとき、それに立ち向かおうとする人は誰もが〝研究者〟となってしまうと思うからではないでしょうか。一般の方は誰もが、私は研究者ではありませんと言うでしょう。

しかし、これを否定するのが私の主張です。解決しなければならない課題は規模の大小、内容の深浅は違っても、どこにでもあります。そうだから、研究者的要素を持った課題解決能力は、誰にも求められるのです。それゆえ教育において、全ての人にこの力を養う必要があるのです。試験の点数を上げるための知識獲得型の学修では身につきません。こうした力を養ってこなかった代償として、失われた30年が表出してしまったと言えます。

5　残された課題　―「課題設定力」は如何に育まれるのか―

実際に課題解決型教育を進める上で、「帰納的教育手法」がその雛形であったとしても、重要なポイントがまだ残されています。それが「課題を設定できる力」の育成です。

課題解決の前提となる、課題の設定

誰もが理解しがたい矛盾に様々な場面で直面することがあります。これが、ここで考えたい

解決すべき課題です。もやもやと感じているだけでは、課題が設定されたとは言えません。まだ自身の胸の内にとどまっている状態を顕在化させ、課題として設定し、その解決に向かって取り組もうという意志を形成できて初めて課題解決へと向かうことが可能になります。この「課題として設定する」という重要な部分を他から与えていただくというのでは、課題解決の訓練にはなっても、設定力の育成までには大きな隔たりがあります。

それでは松本大学の場合は、実際に学生は自ら課題を設定できていたのか？　できていませんでした。課題解決の訓練の域を出ていないケースが多く見られました。短大での取り組みを紹介したときも、「選挙における一票の格差の是正」など、学生が設定したわけではありませんでした。各教員がシラバスに示した内容を、好みに応じて選択させていましたので、課題設定に学生が主体的に関与する機会はありません。私自身も含め、当時は教員側にもそのような問題意識はなかったと思います。与えられた課題がプログラミングの場合、教員に言われた通り忠実に実行するのではなく、「こうすれば？　こうしよう」と学生がアイデアを出すことを求めていました。そのため、私自身が考えながら進めなければいけない課題をわざわざ選び、学生がスキルを磨ける場にしようと考えていました。また、プログラムも何か問題を解決する手段として組むものであり、問題に向き合うとはどういうことかを伝えたかった程度だったのです。

ひとりでも十分やれそうだと思えた学生には、例えば学科の時間割を自動的に組むプログラムを創ってみたらと勧めました。いくつもの条件があり複雑で、教務委員を担当していた時、私も困っていたのです。「受講者数、教室のサイズ、担当教員が同時限に複数の授業を持てない、非常勤講師の都合を優先、できれば5限までなど、他にも配慮が必要です」等は伝えました。彼女は、松商学園短期大学で現役で最初に情報処理国家試験Ⅱ種に合格した優秀な学生でした。情報系の会社に勤めてからも「あの時に厳しく、徹底的に考え抜いたことが今に生きてます」と、指導教員としては嬉しい報告も受けました。確かに試行錯誤を繰り返し、精力的に取り組んでいた成功事例と言えますが、それでも課題設定という面では、まだ納得できる域には達していませんでした。

誰にも必要な課題設定力 ―課題解決への意思表示―

課題解決に先だって課題設定が必要と考えた時、誰もが課題設定できる必要があるのかという疑問も出てきそうです。設定は〝優秀な方〟にやっていただけば良いのでしょうか。もしそうなら、実際に矛盾を感じ、解決を望んでいるけれど、上手く課題設定できない人に代わって、偏差値とは違う〝優秀さ〟の尺度が高い人の意志で社会が動くことになりかねません。課題を設定できた時は、既に「このようにしたい」と、先行きをイメージできていますので、課題設定は矛盾を解決したいとの意思表示でもあるのです。従来を踏襲する姿勢が主流であるような社会で、他人にお任せする姿勢では問題の解決や改革は不可能です。

自分の言葉で語りかけ、周囲を説得できるようでなければ良い解決策にはなり得ません。こうした策を考えることは、偏差値の高低に関わらず、誰にも求められる資質です。それぞれが置かれた立場が違っているだけです。それなりの歴史が背景にある慣習に対しては尊重しつつも、それを乗り越えていける社会。誰もが課題解決策を考え、いくつもの策が比較検討される社会。こうしたことを認める、社会的・文化的背景があってこそ、今求められている課題設定、課題解決型の教育実現への道も開かれることでしょう。

課題設定のプロセス

実際に、課題はどのように設定されれば良いのか、三つの層に分けて考えてみます。

① 課題を考える自立した個人の育成

私が大学院生として研究室に入ったとき、まず最初に教授から言われた言葉を思い出します。「住吉君、僕の言うことを、いちいちごもっともと言っているようでは、この研究室に君は不要だ、僕がいれば十分だから」。活発な研究室では、そのトップに立つ人が室員を従わせるのではなく自分を乗り越えさせようとします。これには力量に裏付けられた度量が必要です。逆から見れば、研究室のメンバーは自らの課題意識を研ぎ澄ませ、独創的な研究を自由に進める能力が求められます。こうして、自立した研究者集団が構成されるのです。研究の場合、研究者が発する主張の良否は、国際会議、国内での学会や研究会などで厳しく評価され、論文では第三者のレフェリーによって判断されています。

② 課題設定が必要となる具体的な場面

私自身が所属した研究室の例を出しましたが、生活の場の多様性を反映し、設定されるべき課題も様々です。家庭内での些細なルール変更、事業所での職場環境の改善、製品に関連する様々な改善などもあります。あるいは大企業や国家レベルでの、国際戦略かもしれません。どの人も、それぞれの持ち場で何とか対応しようとしているでしょう。どの場合でも、自分で何かを感じ取り、不合理や納得がいかないことを課題だと認識することから始め、それを他の人にも理解してもらえるまで策を練り上げねば、改善への道は開けません。

③ 課題設定は「自立した個人からなる集団」による、自由な雰囲気の中での討議で

I部の第1章で、学びに対していの一番に取り上げられている「間違い」への対応の仕方の項で、教室内になんでも言える自由が実現していることの重要性が示されています。課題の設定を行うに当たっても、多様な意見を持ち寄り、自由闊達な議論や討論を前提として決めていくという点で共通部分があります。

「間違い」が保障されなかった結果「間違い」をしないために授業中は黙っているという姿

勢で生徒が育てられたならば、大学に入ってからも、社会に出てからも「間違い」を恐れ、正解の定まっていない課題に対して自分の見解を主張することはできなくなります。「間違い」を恐れないという姿勢を形成するのは難しいのですが、克服できなければ失われた30年をいつまでも引きずってしまうことでしょう。課題設定の場面ではなおさらです。自由な雰囲気の中での学びを初等教育から体験できることが、将来自分なりの課題設定ができる力につながり、しかもそれを絶対視することなく集団的な検討を経てさらに洗練させていけると予想できます。「いつも正しいことを言える」ことが重要なのではなく、「未知」に挑む際に付きものの「間違い」をいかに克服できるか、その道を切り開く能力の育成が重要なのです。海外では失敗をしても、「あんな難しいことに挑戦した」と評価するケースもあるようです。

6　松本大学の取り組みを経て、今の教育改革はどのように見えるか

この章の最後に、松本大学での取り組みを通して、学び取った内容を3点にまとめました。一つは、大学にとっての地域貢献は、研究と教育を通して地域社会の未来を担う若者を育てること。二つ目は、課題解決型教育の実現には、「未知」を「既知」に変えるという点において教育活動と研究活動とは本質的に同じであるとの認識が不可欠。三つ目は、改革は主張するだ

けではなく、実現するための人的、資金的裏付けが伴わなければ難しいということ。

大学の任務はあくまで教育・研究　―地域貢献はその副産物―

大学、特に地方大学の任務として教育、研究に加え地域貢献が挙げられることが多くなりました。松本大学では地域貢献のために地域連携活動を展開していたのではありませんでした。学生が地域に調査や探索に入った際、困っている問題（すなわち解決すべき課題）の示唆、それに対する意見・要望などが住民から出され、探究心に灯りを点してくれています。

地域貢献は、大学が本来果たすべき教育、研究活動の結果としての成果であり、目的ではありません。〝貢献〟という言葉が誤解を招くのかもしれません。これまでの経験から、大学の目的の一つが〝地域貢献〟であると思い込み、各種団体や個人から「あれもやれ、これもやってくれ」と言われれば「はいわかりました」とせっせと対応するものだと、双方が勘違いされている場合も幾度となく見かけました。

まず確認すべきは、大学の任務は、これまで人類が積み重ねてきた成果に新たな知見を加える研究であり、これまでの成果を継承し、発展させること及びその能力を育む教育にあることです。

課題解決力を育む教育の実践には研究力量が必要 ―20年前から提示―

これまでは、知識を詰め込み、試験などで問われたならば「正解」を素早く取り出せる能力、こうした訓練・暗記がものをいう力の育成に重きを置いていました。これとは全く違う範疇の教育が、今求められていますが、これまでの教育に習熟した教員ほど慣性が大きく、抜け出すのに苦労するでしょう。新しい方式に確信を持つには、実践経験が必要になります。そこで具体例を示し、理論的にも裏付けたのが「帰納的教育手法」でした。理論化され、図示もされているので、実践している内容の進捗状況を客観的に俯瞰《ふかん》することも可能です。各教員の専門領域で、学生が問題点を直ぐに把握できる具体的課題を提起できれば、その後は容易に軌道に乗せられます。学生も経験を積むことで、新たな課題を自ら探し出し、その課題解決に向け前へ進めることも可能になってきます。この力こそが実社会で求められる、課題解決への実力となります。松本大学では20年も前からこのようにすれば良いと一つの解決案を提示し、実績も積み上げてきました。その根底には、教員の研究力量が無ければ、帰納的教育手法に基づく課題解決型教育は難しいという主張がありました。課題解決型教育とは研究活動を伴う教育の実施に他なりません。その意味では、研究と教育を分離する考え方は、決定的に誤った誘導をしていることになります。

形式を整えたら改革ができるのか？　―教育を担う側の条件整備は必須―

教育者ばかりではなく、多くのステークホルダーも知識一辺倒の教育の限界を感じています。そこで課題解決力を育む教育が重要だと言われますが、こうした方向への転換は容易ではありません。既に転換を目指した「ゆとり教育」で試されました。ゆとりの時間を使って課題解決型の学習を盛り上げようとしました。(4) この時、私も「これで変わるかもしれない」と期待しました。しかし尻すぼみに終わり、反復・習熟による知識偏重型へと逆戻りしてしまったかのようです。これにはいくつかの要因が考えられます。教員がこうした研究的要素が要求される教育を受けてきていないこと、日常業務が忙しすぎて新たな対応のために時間を割く余裕が無いこと、従って、適切な〝教材〟の準備不足という問題もあったかと思います。例えば高校でも、志望大学あるいは興味ある大学のオープン・キャンパスへの参加を、自らの進路を探求するという理由から、「総合的な学習の時間」に当てていた場合も見受けられました。悪いことではないと思いますが、本来の目的ではなかったと思います。課題解決型のアクティブ・ラーニングへの周到な準備が間に合わなかったことの反映ではなかったでしょうか。

「この方向が必要だからやりましょう」とのかけ声だけでは成功は覚束ないのです。声をかける側が、どれほど本気かは、条件整備をどれくらい考えているかで推測することができます。

「大学の入試問題を変えれば、高校はそれに対応すべく教育を変えざるを得ないだろう」という程度の考えでは、大学受験を請け負うグループからハウ・ツーものが出て、高校生は実体験よりもそのような受験参考書で対策を練る方向に動くでしょう[5]。実際、二兎（大学合格実績と課題解決能力の育成）を追わなければならないとされた現場では、人的、財政的に裏付けられた学習環境が整っていないため、十分な対応は難しくそれも致し方がありません。つまり入試問題の形式を変えただけで、教育側の実質的変革が伴うかどうかわかったものではありません。実際、課題解決型よりも知識詰め込み型への揺り戻しが生じました。それでも何とかしたいという志向は現在も存在しています。今度こそ、実質化へと向かうための準備を整える必要がありますが、安上がりに実現しようとする姿勢の現状では心許なく感じます。教員や児童・生徒・学生にも時間的ゆとりが必要なのです。

同じように、形式を整えただけでは設計倒れに終わってしまうといった問題意識が、英語の入試改革の見送りに関連して語られています。「『総合的な英語力を育成する』と言われたら、おそらく多くの人が賛成するでしょう。だとしたら、真っ先に考えるのは、学校でその力をどう育成するか、どんな先生がどんな教材でどう教え、生徒がどう学ぶかでしょう。どうやって入試に取り込むかはその先のはずです」。また試験の内容面に目が行かないのは「『英語4技能のバランス』とか『思考力・判断力・表現力』といった言葉がお題目のように唱えられ、何ができる能力なのか、どう指導するのかといった検討がほとんどなされなかったためだ」と南風《はえ》原朝和《ばらともかず》氏は指摘しています。(6) 改革の必要性が認識できたなら、どうすればそれが実現できるのか、どこをどう補強する必要があるか、現在実現できていない原因は何か、など責任追及といった次元ではなく、多少痛みを伴うかもしれませんが、率直に多様な意見を出し合い、時間がかかってもステップを踏みながら進める必要があるでしょう。失われた30年に比べれば長くはありません。教育改革は言わなければできませんが、言っただけでできるほど容易なことではありません。

【9章の参考・引用文献】

（1）住吉広行「文部科学省『特色ある大学教育支援プログラム』に選定された『多チャンネルを通して培う地域社会との連携 ─地域社会で存在感のある大学を目指して─』」『地域総合研究』第3号、松本大学（2003年10月）25〜48ページ
（2）住吉広行「『幸せづくり』『地域の必需品』大学への挑戦 ─地域社会と連携した教育手法の視点を添えて─」『大学と教育』Vol.46 東海高等教育研究所（2007年9月）4〜25ページ
（3）岸 裕司『「地域暮らし」宣言 学校はコミュニティ・アート！』太郎次郎社エディタス（2003年）
（4）寺脇 研『それでも、ゆとり教育は間違っていない』扶桑社（2007年）
（5）物江 潤『入試改革はなぜ狂って見えるか』ちくま新書（2021年）
（6）「南風原朝和」朝日新聞（2021年8月9日付）

10章 今、教育に問われていること

本書は、初等教育から高等教育までを貫いて、我が国の教育で「現在何が問われているのか」を論じる稀有の試みになったと思います。ここで、I部とII部が相互に、どのような関係になっていたのかを整理し、共著の意義を確認しておきたいと思います。

1　相互乗り入れで考える「課題解決力」の育成

この節では、大学教育においては課題解決力はどのようにすれば獲得できると考えていたのかを整理します。次に、初等教育では、そもそもこのような能力の育成は教育目標とされているのかという問題意識から、その解明の重要性を指摘します。

大学教育での課題解決力育成 ―研究過程を教育に導入する―

どのような教育をすれば、学生の興味や関心に基づいて、楽しみながら自発的な学修を進めることができるか？　またその結果、学修内容やそのプロセスで身につけたことが、学生の血肉となって自信を持って社会に出て行くことができるか？　あずかった入学生を前に、大学教員としての私自身が抱えた大きな課題でした。

これに対して、試行錯誤を経てようやくたどり着いたのが、研究と教育の一体化が必要な「帰納的教育手法」でした。学生も研究者と同じく、「設定した課題の解決に向かって自分で考えながら歩を進め、必要となってくる知識や技術は仲間との討論や先人の成果が記された書物や文献等に当たって獲得しながら、多くの方々に納得していただけるような成果にたどり着き、何らかの形でそれを発表する」。こうしたプロセスを経験することによってのみ、現代社会で最も必要とされる課題解決力が獲得できると考えたのでした。

初等教育では課題解決力をどのように考えるべきか

「帰納的教育手法」と名付けた体系に到達する過程の中で、こうした能力・資質は大学教育の中でのみ身につけることができるのだろうか？　大学教育の枠内でのみ解決すべき問題なのか？　初等教育においては、どう考えられているのか？　またどのように考えるべきか？　これらが大学教育に携わっていた私の問題意識でした。基礎的な知識をきちんと身につけさえすれば、初・中等教育は完結するのでは？　しかしそれでは、自らの興味や関心事に、自らの考えに基づき「なぜ、どうして」を「なるほど」と納得へと導く姿勢は育まれないのではないか？　基礎知識の修得と課題解決能力獲得の両立は可能かどうか？　可能ならどのようにすれば良いか？　こうした数々の疑問を抱えていました。初等教育における課題を根本に遡って考察している方と協働すれば、何らかの解を見い出せるのではないか。今回、今泉さんと共著を執筆したいと望んだのは、このような背景からでした。

2　Ⅰ部（初等教育）とⅡ部（高等教育）のつながりについて

「帰納的教育手法」を示した資料15（264ページ）において、左側に初等教育を扱った部分が小さく描かれています。本書に取り組む前までは、何を書くべきか不明瞭でした。Ⅰ部で初等教育の課題が詳述された段階において、右側に示された大学教育における課題解決へのプロセ

資料17　「深く豊かな学び」の概念図

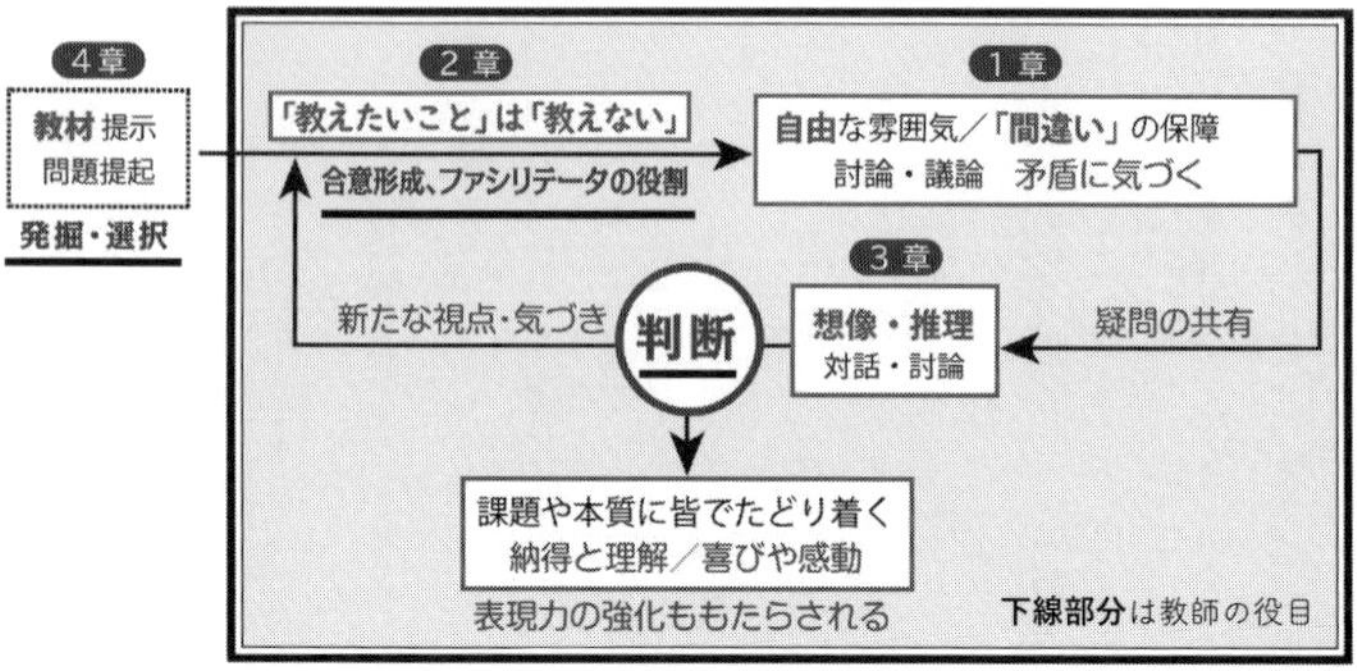

スとの間に、どのようなつながりがあるのか、この点を具体的に検討してみます。

Ⅰ部での各章の指摘を取り入れた授業
（Ⅰ部の図示化）

Ⅰ部で指摘されたポイントを取り入れた授業構成の図示化を試みました。初等教育においても、深く豊かな学び（5章参照）を表す資料17は、「帰納的教育手法」を示した図と少し似ています。図中に、Ⅰ部のどの章と関連しているのかも記しておきます。また教師の役割と生徒の反応についても、区別して記入しています。

課題の選択について（Ⅰ部4章とのつながり）

工学系の「ロボコンでの勝利」に対し、社会科学系の松本大学は「地域社会にある課題の解決」を対応させました。この選択は、地域連携、地域活性化に注力する松本大学という全国的にも認められるブランドの確立につながりました。この選択に当たっては、松本地域が持つ特別な地域力、〝教育力〟への気づきが前提となりました。

初等教育でもI部4章において、「魅力的な素材・教材はこの世界にどっさりありますが、それらをどう発掘し選択していくかが重要になります」との指摘があり、その準備にどのような苦労があるのかも紹介されました。教材を起点に授業が始まるので、特に重視されています。これに対し、松本大学では教員や学生が地域に入り、教材（＝地域の課題）の発掘、選択を上手にできたのではないかと思います。

知識修得型から課題解決型への転換について（I部1、2章とのつながり）

知識を詰め込み、試験の点数上昇を目的とする学びでは、理解が深まっていなくても点数さえとれていれば、自分の学力は十分と勘違いしてしまいます。興味・関心に動機づけられ、「なぜ・どうして」を「なるほど」と納得するプロセスを積み重ねてこそ学力は身についていくと思います。「知識修得型」では、試験が終われば忘れ去られることさえ珍しくはなく、好奇心や興味に基づく学びへの意欲を阻害する可能性さえあります。それでは、「課題解決型教育」は、どうすれば実現するのか。これをマニュアル化し、誰もが実施できるように試みたのが、松本大学が20年も前に提示した「帰納的教育手法」とその図示（264ページ、資料15）でした。

初等教育においてこのような学び方を保障するのが、I部2章の「教えたいこと」は「教えない」という教育姿勢であり、その根底にあるI部1章の「間違い」を許す自由に満ちた学習空間の創造が決定的に重要です。課題に向き合い、自力で正解にたどり着くには試行錯誤は避けられません。換言すれば、どうすれば良いかわからない課題に対して、一つの「間違い」も伴わないで、解決策を提示できることはほとんどありません。「教えてしまう」ことは、「未知」の課題を解決する際に生じる「間違い」を乗り越える力の育成を放棄することと同等です。ここでも、初等教育と高等教育とが大いに関連していることがわかりました。

新しい視点の獲得はいかにして可能か（I部3章とのつながり）

「帰納的教育手法」に則って課題解決に向かう中では、単にあれこれを知っているというだけでは機能しません。机上での学びと地域社会へ出かけての観察・調査活動の往還の中で問題意識は絶えず変化し、螺旋状に進化・深化しています。新たな展開を模索する際に威力を発揮するのは、I部3章で指摘された、想像・推理する力ではないでしょうか。

捨てられた農作物と買い物弱者を結びつける発想、高齢者の生活実態から誰とでも話し合える溜まり場の創設へと展開できたのは、できあがるであろう光景を具体性を持って想像できたからに違いありません。3章では、「《見えない世界》が、距離的、時間的に離れていても、極微の世界であっても想像や推理の力で見えてくる」とされています。初等教育で培った想像・推理する力は、大学教育においても、どれだけ構想を膨らませることができるか、その力量が試されているのです。

初等教育から高等教育までを貫く教育哲学が求められている

この度、初等教育と高等教育のあり方を、筆者二人がそれぞれの経験に基づいて独自のアプローチで探求してきました。初等教育における深く豊かな学びは、正解をアプリオリに与えられる学びではなく、「未知」を「既知」に変えていく螺旋型のプロセスの中にこそあると指摘されています。わかる喜びや理解できた後に感動のある学びを展開できるかどうかが課題ですが、これこそが教師の醍醐味でもあるとされました。高等教育においても、課題解決型の教育を通した学びで得た考える力や、成し遂げたことによる達成感や自信は、揺るぎないものとして長く定着するでしょう。

今求められているのはこのような教育だと、二人がそれぞれ別の経験・体験に基づいて考えてきたにもかかわらず、その結論が驚くほど似通っていたのは偶然ではないと思います。特に「未知」を「既知」に変えることに重きが置かれていること、その実現のためには自由に「問違い」を恐れず発言・主張することができる場の存在を重視していること、その延長線上に学びの成果や学問の発展が望めると期待していること、こうした認識にそのルーツがあると思います。

初等教育からのアクティブ・ラーニングへの取り組みが、その後の大学教育の課題解決型教育の成否にもダイレクトにつながっていると言えます。「初等教育から高等教育まで、筋の通った教育哲学が貫かれている必要がある」と示唆されているのです。

エピローグ

教育とは人類の認識の深まりを継承し、さらに発展させる力を育む営み

これまで人類が積み上げ、深めてきた知的成果は後の世代に引き継がれなければなりません。それは単に覚えておいて、いつ聞かれても正しく対応ができるように育て上げることではありません。辞書、百科事典、Wikipediaなど、必要に応じて参照できる便利なツールに任せておけばよい内容もあります。継承という視点では、書物にまとめ、よりわかりやすく体系的、啓蒙的に、また新しい技術も駆使して、時代に応じて解説することが求められてはいるでしょう。

その先に、まだわかっていないことに対して、新たな知見を加えていける力を育むことが求められています。それは何も学術的な分野にとどまりません。日常生活や職場環境においても、時代や環境に応じて、新たな対応が求められることに頻繁に出合います。こんな時にも、これまでがこうだったからと、過去の踏襲しかできなければ、研究に限らず社会のどのような場面においても、改善も改革もできません。逆に、誰もが課題解決への意欲や能力を発揮できれば、

社会であれ組織であれ活性化が期待できます。その大本にあるのが教育です。今こそ現場の矛盾に対して、財政的裏付けを伴った大胆な改革・改善策を講じなければ、国力は低下する一方です。教育哲学に裏付けられた未来への投資が求められているのです。

日本に新たな教育文化の定着を　―初等教育から高等教育までを視野に入れて―

課題解決力や課題設定力を育み、長年積み重ねてきた学びの成果が、どの人にも自信を持たせ、困難を切り開く担い手となるような、社会状況を教育の力で創り出したい。若い人たちが成長する姿を見ながら、いつの日にかともに未来を語り合える楽しみを味わうことができるのが、教育者としてのやり甲斐であり醍醐味ではないでしょうか。

そのような魅力ある仕事とするには、初等教育から高等教育までを貫く教育理念、教育哲学が必要になってきます。これは、別の見方をすれば、知識詰め込みではなく課題解決型の教育が、当然のことだと思うようになるまで、換言すれば我が国の教育文化として根付くまで、実践を先行させ、定着させる必要があるということです。

本書がそのような改革へ一歩踏み出すための一助になれば幸いです。

本書の発刊に当たりましては、子どもの未来社の奥川隆さん、また編集につきましては松井玉緒さん、本文デザインや装丁に関してはシマダチカコさん、根本眞一さん（クリエイティブ・コンセプト）に大変お世話になりました。特に松井さんには、原稿を何度も読んでいただき感想を交えながら、深く関わっていただき、励ましていただきました。Ⅱ部の資料につきましては、松本大学の柄山敏子さんにその収集、選択に関してお世話になりました。最後になりましたが、ここに記して皆さんへの感謝の意を表したいと思います。

住吉廣行

２０２３年７月

今泉 博（いまいずみ・ひろし）

1949年、函館市生まれ。1971年から33年間、東京都の公立小学校教員として勤務。間違い・失敗を積極的に評価し、子どもたちが生き生き学ぶ授業を創り出した。その実践は今も高く評価されている。2004年9月より北海道教育大学（釧路校）助教授。その後教授、副学長となる。2016年より松本大学教育学部教授に。2021年退任。日本教育学会会員、全国進路指導研究会会員。

著書に『集中が生まれる授業』『指名しなくてもどの子も発言したくなる授業』（以上、学陽書房）、『「荒れる」子どもたちに教えられたこと』（ひとなる書房）、『学びの発見 よみがえる学校』（新日本出版社）、『まちがいや失敗で子どもは育つ』（旬報社）、『なぜ小学生が“荒れる”のか』（共著 太郎次郎社エディタス）、『ふつうの公立学校で「総合的な学習の時間」をどう創るか』（共著 民衆社）、『不登校からの旅立ち』（編著 旬報社）、『「教え」から「学び」への授業づくり・国語』（編著 大月書店）、『漢字　日本語パワー再発見（やってみたい総合学習８）』（監修 草土文化）など多数。

【Ⅱ部　著者プロフィール】

住吉廣行（すみよし・ひろゆき）

1948年生まれ、大阪府豊中市出身。九州大学大学院理学研究科博士課程修了（理学博士）。1982年より東京大学原子核研究所研究員。その後UCバークレー（米国）、ユバスクラ大（フィンランド）、ランダウ研究所（ソ連）の客員研究員、東京大学宇宙線研究所研究員を経て1986年松商学園短期大学に赴任。同大経営情報学科長、松本大学人間健康学部教授、副学長を経て2012年より2020年9月まで松本大学学長。2023年4月から新潟産業大学教授、副学長。専門は理論物理、大学教育、ＯＲ、観光など。

著書・論文（共著等含む）に『原子核はまっ黒か』〈物理学最前線18巻〉（共立出版）、Multiparticle Production in Particle and Nuclear Collisions Prog.Theor.Phys.Suppl. 97B（理論物理学刊行会）、『大学を変える』（大学教育出版）、『地域活性化のデザインとマネジメント』（晃洋書房）、「衆議院定数抜本是正（案）」（『松商短大論叢』第41号）、「Win-Winの関係性を重視する松本大学の地域連携」（『月刊自治研』Vol.64 no.748）など多数。

装丁●根本眞一（クリエイティブ・コンセプト）
本文デザイン●シマダチカコ
編集担当●松井玉緒

小学校と大学で
未知に挑む力はこうして育つ

2023年9月7日　第1刷印刷
2023年9月7日　第1刷発行

著　者●今泉 博　住吉廣行
発行者●奥川 隆
発行所●子どもの未来社
〒101-0052
東京都千代田区神田小川町3-28-7-602
TEL：03-3830-0027　FAX：03-3830-0028
振替　00150-1-553485
E-mail : co-mirai@f8.dion.ne.jp
HP：http://comirai.shop12.makeshop.jp/

印刷・製本●モリモト印刷株式会社

ISBN978-4-86412-242-9　C0037